S0-BOJ-113

COMO HACER FIGURAS DE PAPEL

PAPEL

INICIACION A LA PAPIROFLEXIA

COMO HACER FIGURAS DE PAPEL

INICIACION A LA PAPIROFLEXIA

JULIAN GONZALEZ GARCIA-GUTIERREZ

TURSEN

HERMANN BLUME EDICIONES

Prohibida la reproducción de parte alguna de este libro, su inclusión en sistemas de memoria y su transmisión por medios electrónicos, mecánicos, de fotocopia, grabación o cualquier otro, sin la autorización previa del autor.

Título original:
COMO HACER FIGURAS DE PAPEL: INICIACIÓN A LA PAPIROFLEXIA

DISEÑO DE CUBIERTA: JUAN MANUEL DOMINGUEZ
ILUSTRACIONES: JOSE ANTONIO VEGA
COLABORACIÓN: SERGIO GONZALEZ MARTINEZ

© 1986, Julián González García-Gutierrez
Hermann Blume, 1986
Primera edición española, 1986
Segunda edición, 1987

© 1991, Tursen, S.A.
Hermann Blume Ediciones
Mazarredo,4 5º B. Tel. 266 71 48. Fax 265 31 48. 28005 Madrid
Tercera edición, 1991
Primera reimpresión, 1997

Reservados todos los derechos
ISBN: 84-87756-11-5
Depósito legal: M.37.072/1991
Fotocomposición: Fernandez Ciudad, S.L.
Impresión: Gráficas Marbar, S.L.
Impreso en España - Printed in Spain

A mis buenos amigos Félix y Juan Gimeno, que con su amabilidad característica me abrieron los ojos a este maravilloso mundo del plegado del papel.

Indice

A modo de presentación

Julián González García-Gutiérrez ha preparado un manual cuyo subtítulo, «INICIACION A LA PAPIROFLEXIA», lo dice todo. Como el autor es miembro y directivo de la Asociación Española de Papiroflexia, en nombre de la misma presento tanto a la obra como a su creador.

Julián González, ingeniero técnico y agente de la Propiedad Inmobiliaria, es hombre de simpatía arrolladora, de corazón inmenso, bondadoso y con aficiones muy definidas. Inventor de figuras de papel o papiroflexia. Mago o ilusionista de muy buena factura. Músico y autor, como tal, del himno de la Asociación, cuyos componentes lo entonan, peor que mejor, cada vez que tenemos un acto oficial. Generoso en la entrega por la causa del papel. Allí donde hay que montar una exposición o dar un cursillo de Formación Profesional Acelerada de Papiroflexia o atender un «stand» en una exposición o en una feria, allí está rodeado de chiquillos a los que enseña, con paciencia y con eterna sonrisa, a hacer figuras.

Esa inquietud pedagógica es la que se refleja en esta obra que presento. Este manual viene a ser la EGB (la Educación General Básica de la Papiroflexia). El Catón, diríamos los viejos. Quien siga este curso y lo apruebe, esto es, lo aprenda bien, y ello es fácil, y domine las bases iniciales, está sobradamente capacitado para entrar en el fascinante mundo de la Papiroflexia, en el arte y en la técnica de crear y construir figuras sólo mediante dobleces hechos en hojas de papel, que así es como la define, por fin, la Real Academia Española de la Lengua.

Para dominar las técnicas precisas hace falta entusiasmo, paciencia y unos conocimientos elementales que son los que facilita este libro, al igual que han hecho nuestros amigos los italianos con la publicación de dos volúmenes, en los que se enseña a hacer bases, plegados típicos y figuras derivadas de esas bases sencillas.

Con este libro se desarrollan algunas de las aplicaciones prácticas de la Papiroflexia. Aprende este arte y estas técnicas preliminares y aprenderás también a doblar papel con exactitud, a agilizar los dedos y a repasar conocimientos de geometría elemental. Que si el ángulo recto, que si la bisectriz, que si la altura y que si la diagonal.

Pero una vez dominada esta técnica básica, se convierten esos principios en actos automáticos. Quiero decir que la base de pájaro la harás sin casi mirar el papel, lo mismo que la abuelita hace ganchillo mientras ve la televisión. Entonces ya puedes coger cualquier libro más avanzado de papiroflexia y hacer los desarrollos que en ellos vengan, consiguiendo, como plegador, figuras más complicadas que en un principio te habrían parecido muy difíciles y que ahora pliegas con facilidad.

Y después de un cierto tiempo de hacer los desarrollos que tienes en los libros, ya se entra por la puerta grande de la creación, con procesos muy parecidos a los del dibujo o la pintura o la escultura. Primero copiando, luego soltando los dedos, buscando nuevas formas. Con iniciales balbuceos, obteniendo monstruos sin parecido a nada. Con mucho ensayo perdido a primera hora. Hasta que van surgiendo creaciones propias. Ese es el mundo feliz del creador.

Antes está el aprender de la mano de Julián González, pasito a pasito, como todos hicimos, como se hace en los cursos que organiza la Asociación Española de Papiroflexia.

Este es el propósito del manual que tienes en tus manos. ¡Adelante!, y a dar las primeras brazadas en este mundo leve, gracioso, ligero, pero sin final, como en todo Arte.

Enrique Cerezo Carrasco
Secretario de la
Asociación Española de Papiroflexia

Introducción

Papiroflexia es el nombre que dan los aficionados de habla hispana a este arte de hacer figuras, lo más ingeniosas que sea posible, a base de plegar el papel y que en el lenguaje popular se entiende por «hacer pajaritas».

La papiroflexia, aparte de la gran satisfacción que se tiene al terminar de plegar cualquier figura, ofrece la posibilidad de desarrollar el ingenio, la creatividad, la habilidad, la paciencia, la sagacidad y un sinnúmero de enseñanzas que al ir practicando este arte iréis viendo.

Este libro de **Cómo hacer figuras de papel** va enfocado principalmente a los niños, y a todos aquellos que al conocer sólo las pocas figuras que a todos nos enseñaron de pequeños, no han seguido este bello arte por desconocer las innumerables figuras que se podían hacer. Siendo el autor uno de éstos, se ha encontrado con la dificultad de hallar un libro de papiroflexia, en que se enseñase, poco a poco, los distintos pasos que tenía uno que aprender, sin toparse con dificultades insalvables.

Por esto, en este **Cómo hacer figuras de papel** he procurado ir enseñando una serie de figuras que, poco a poco, van incluyendo algún nuevo plegado, pero antes el niño ha hecho ya algunas con plegados más sencillos y al ver que va obteniendo éxito continúa plegando figuras de más dificultad.

Toda la parte primera y hasta casi la mitad del libro está dedicada a las figuras de formas geométricas; es decir, la imaginación es la que tiene que dar unas formas armoniosas a lo que en el papel todavía son figuras sólo rectas.

Poco a poco iremos entrando en el plegado de figuras que, aunque sencillas, reflejan bastante fielmente los objetos que representan.

Pongo también algunos juegos, para que el principiante halle más entretenido y ameno el plegado del papel, evitando así que le pueda resultar monótono o árido este arte.

He querido presentar esta recopilación de figuras de una manera pedagógica y ofrecer los desarrollos con el número de pasos suficientes para que el no iniciado vaya poco a poco y sin tropiezos avanzando en la resolución de los diferentes ejercicios.

Aunque con sólo los signos y los dibujos se puede y debe entender el plegado de cada figura, dado que este libro pretende ser de enseñanza e iniciación a la papiroflexia, en algunos pasos, que pueden no ser bien entendidos por el principiante, he considerado conveniente añadir alguna breve aclaración o explicación escrita.

Para mejor comprensión, los desarrollos los dibujo pensando siempre en papel charol, es decir, blanco por un lado y de color por otro; no obstante, en las figuras que no se indica si el color va arriba o abajo, es que se puede utilizar cualquier papel, y en las que tienen más vistosidad al disponer de dos colores (el pingüino) se detalla cómo se debe empezar, colocando el papel con color arriba o debajo.

Consejos útiles

Los modelos van ordenados según su grado de dificultad y como antes de introducir un nuevo signo se han hecho los anteriores varias veces, es de esperar no existan dificultades; no obstante se dan unos cuantos consejos útiles que conviene leer con detenimiento y observarlos, sobre todo al principio.

1.º Cualquier papel terso y fino sirve para plegar los modelos. Aunque cada modelo puede necesitar un papel determinado, realmente cualquier papel de oficina es útil para plegar. No obstante como más aconsejables son:

   a) El papel «barcino», papel utilizado para el correo aéreo muy útil para figuras de muchos dobleces.
   b) El papel «charol» con color por una cara y blanco por la otra.
   c) El papel «metalizado» que es el que fija mejor las formas.
   d) El papel de envolver regalos, muy útil para conseguir figuras de vistosos colorines (mariposas, etc.).

2.º En papiroflexia existe un lenguaje con símbolos reconocidos internacionalmente. Estos símbolos indican las manipulaciones que han de realizarse con el papel y con ello el texto explicativo ya casi no es necesario. Hay que conocer bien todos los símbolos que salen en un desarrollo, evitando así, que pueda parecernos irrealizable una figura.

3.º Cada paso lleva un número, hay que seguir rigurosamente ese número de orden.

4.º Cuando se va a realizar un plegado, es conveniente ver cómo va a quedar mirando el dibujo siguiente.

5.º Al principio se puede señalar en el papel con un lápiz y marcar con un bolígrafo sin tinta el doblez, ayudándose con una regla. De esta forma el doblez queda perfecto.

6.º Es indispensable que los dobleces vayan hechos con precisión; antes de pasar el dedo y marcar el doblez con firmeza hay que comprobar que el plegado está bien realizado.

7.º Conviene plegar sobre una superficie lisa y consistente.

8.º Cuando exista la señal de hundido, conviene plegar en los dos sentidos, valle y montaña, y luego hundir.

9.º Cuando algún plegado se resista es preferible dejarlo y otro día se vuelve a comenzar, es posible que se haya cometido un error en el que no incurramos el siguiente día.

10.º La primera vez que se pliega un modelo no suele quedar bien. No hay que desanimarse; al hacerse más veces resulta mejor, pues se corrigen las imperfecciones y se toma el papel y el tamaño convenientes.

11.º Si el modelo tiene muchos dobleces conviene elegir papel fino (barcino) y tamaño algo grande.

12.º Si al ir plegando un modelo se ve otra posibilidad, otra figura, no hay que dudarlo, dejad a un lado las instrucciones y seguid la nueva ruta; puede ser el comienzo de un nuevo modelo, o al menos, de una interesante variación.

Algunas figuras de este libro

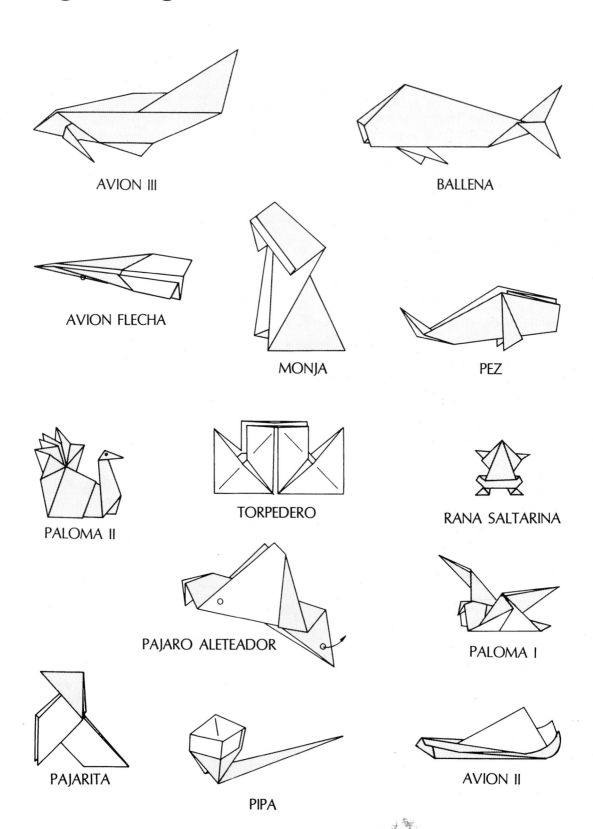

AVION III

BALLENA

AVION FLECHA

MONJA

PEZ

PALOMA II

TORPEDERO

RANA SALTARINA

PAJARO ALETEADOR

PALOMA I

PAJARITA

PIPA

AVION II

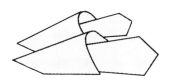

BABUCHAS

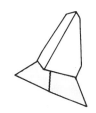

NARIZ Y BIGOTE

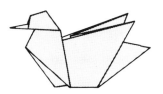

POLLITO

PATITO

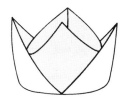

BONETE

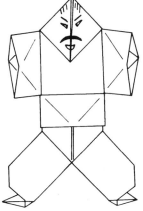

LUCHADOR JAPONES

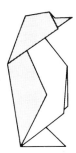

PINGÜINO

GORRO DE SAMURAI

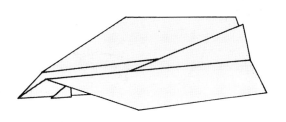

PLANEADOR

BOTAS

GORRO DE
ENFERMERA

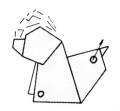

PERRO LADRADOR

15

Símbolos (utilizados en las instrucciones de los modelos)

Plegado en valle

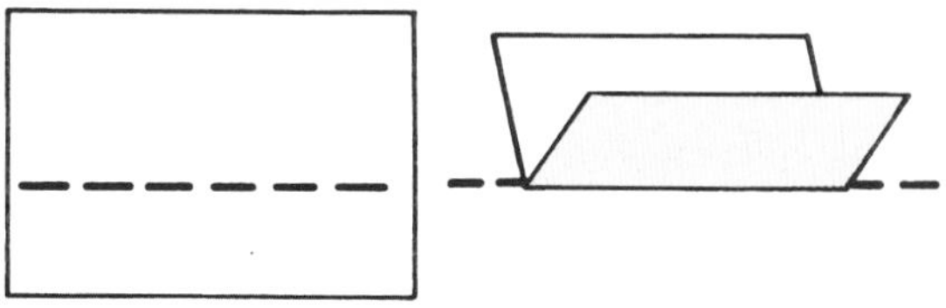

- - - - -

Plegado en montaña

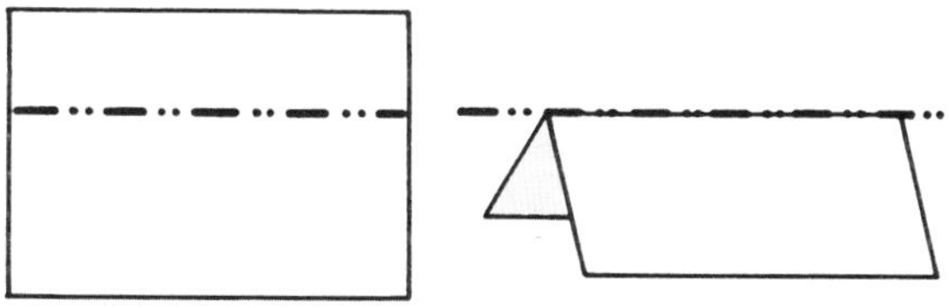

- ·· — ·· — ··

Plegado en valle
y en montaña

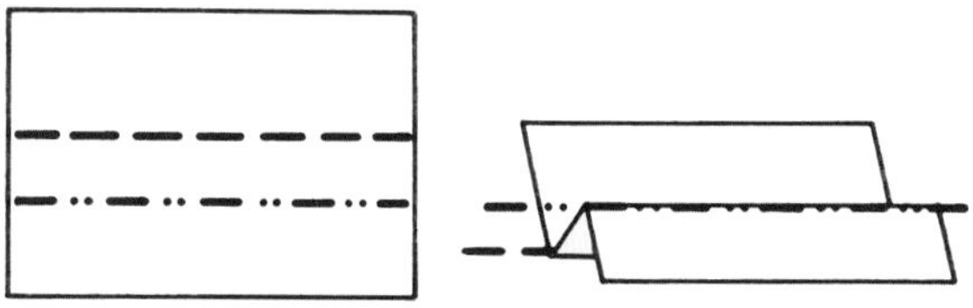

- - - - -

- ·· — ·· — ··

Hacer el plegado
y desplegado

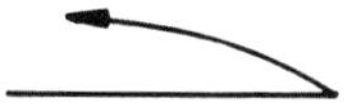

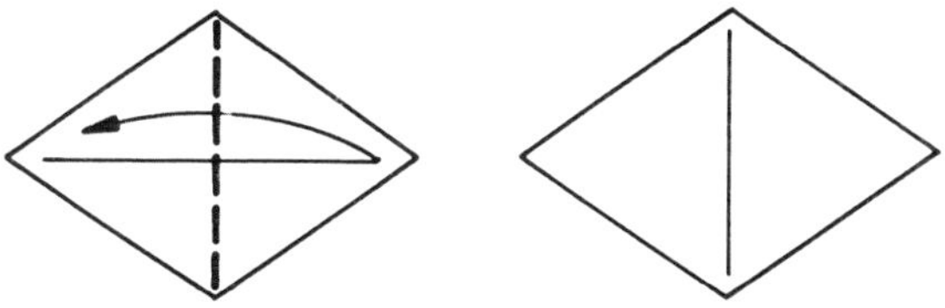

Marca, de un pliegue
deshecho

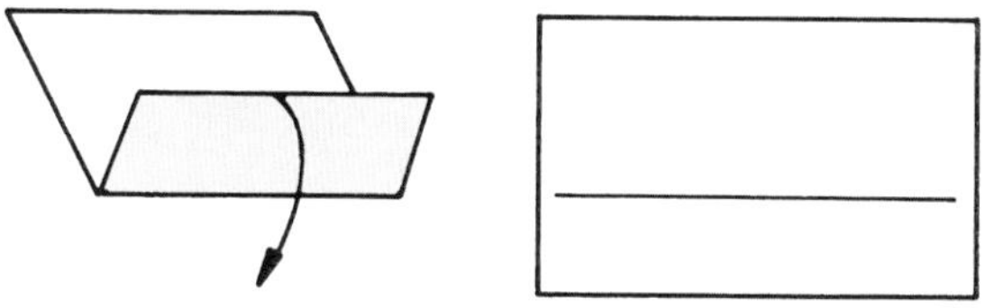

Plegado hacia delante

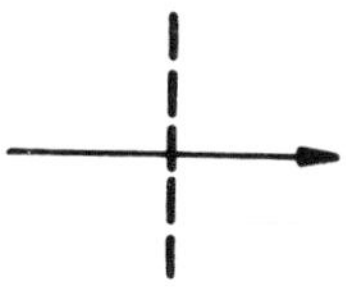

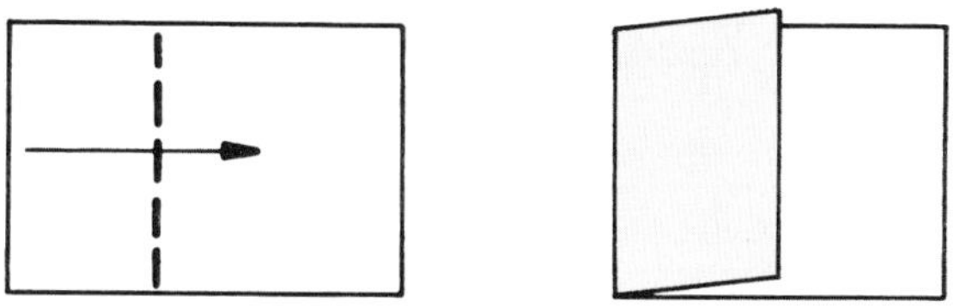

Plegado hacia atrás

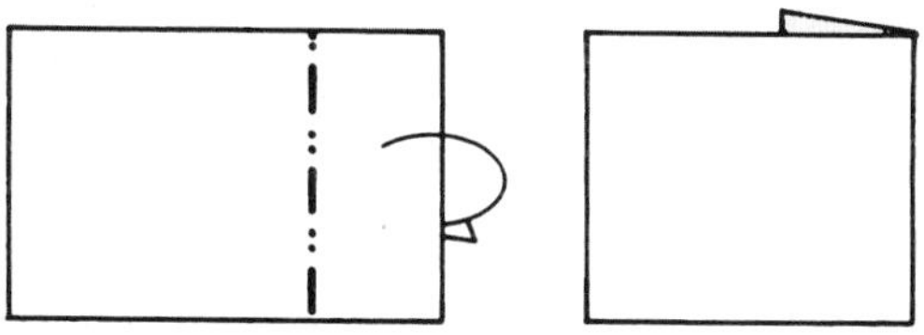

Plegado hacia dentro

Dar la vuelta al modelo

Hundir

Agrandar el dibujo

Reducir el dibujo

Coger por ahí

Plegar igual por detrás

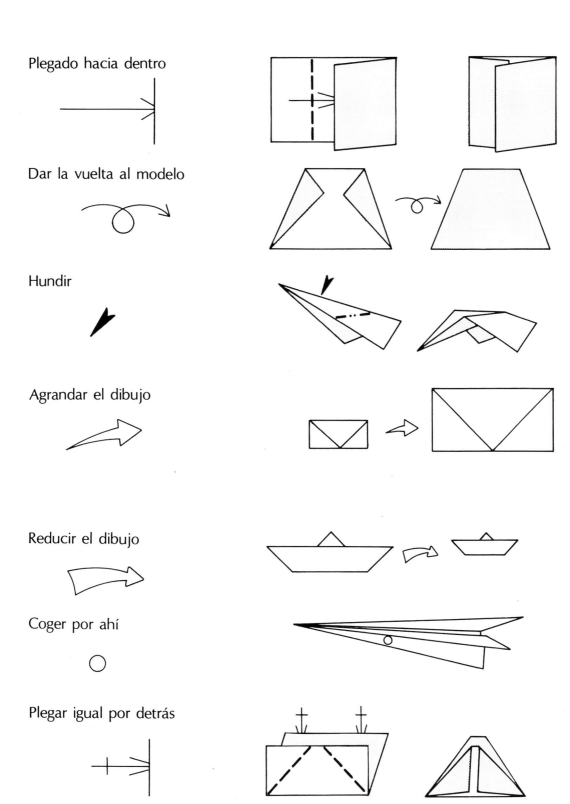

Cortar

Desplegar

Partes iguales

Plegado escalonado

Soplar

Girar sobre el plano

Visto por rayos «X»

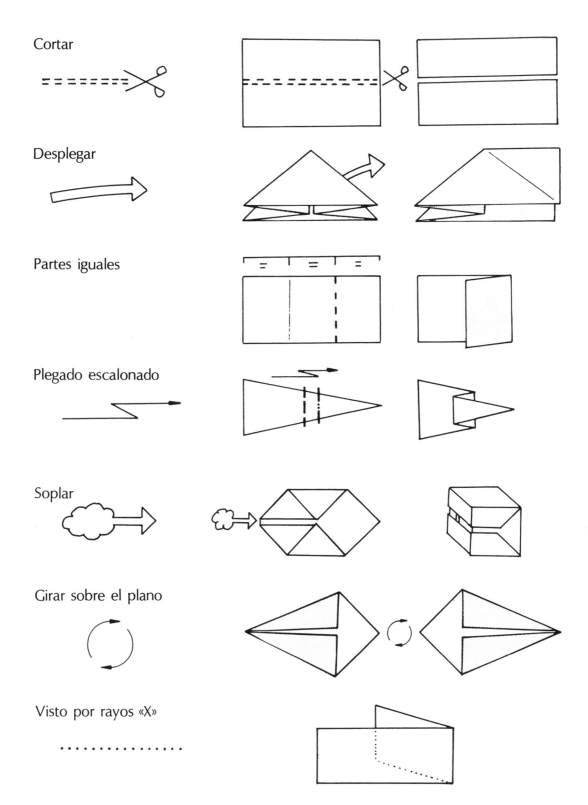

Formas de papel más comunes

Las tres formas más utilizadas en papiroflexia son: el cuadrado
1×1, el rectángulo 2×1 y el folio, en que no es necesaria una
proporción exacta.
El folio se tiene sin necesidad de prepararle; por tanto,
indicaremos, a partir del folio, cómo podemos obtener el
cuadrado 1×1 y el rectángulo 2×1.

CUADRADO 1×1

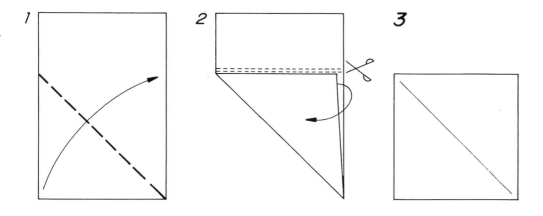

RECTANGULO 2×1

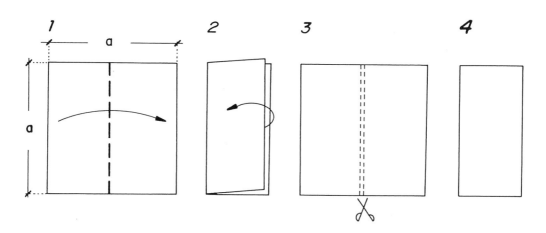

Saeta. Tradicional

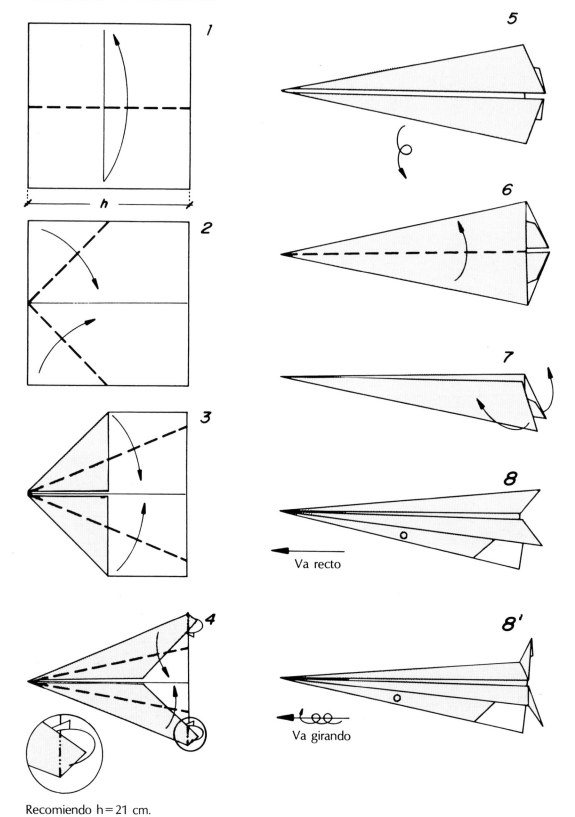

1

2

3

4

Recomiendo h = 21 cm.

5

6

7

8

Va recto

8'

Va girando

Avión flecha. Tradicional

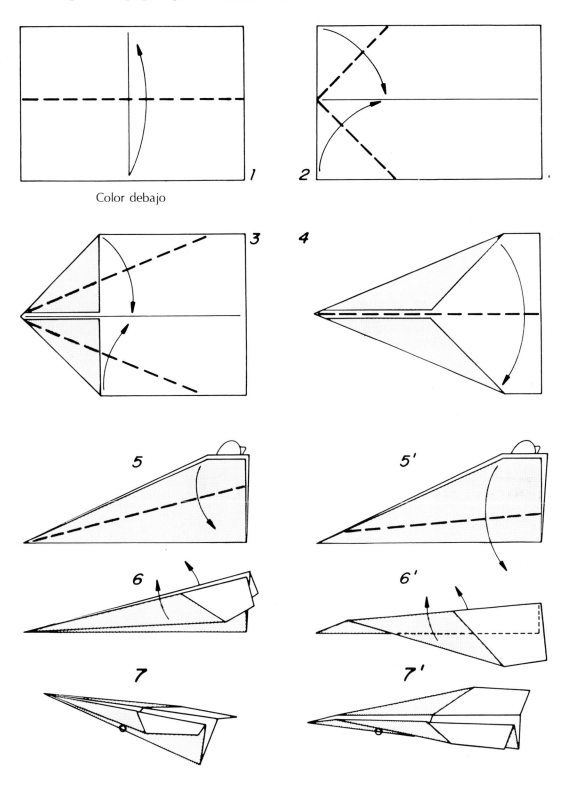

Color debajo

Recomiendo cuartilla o folio

Vaso. Tradicional

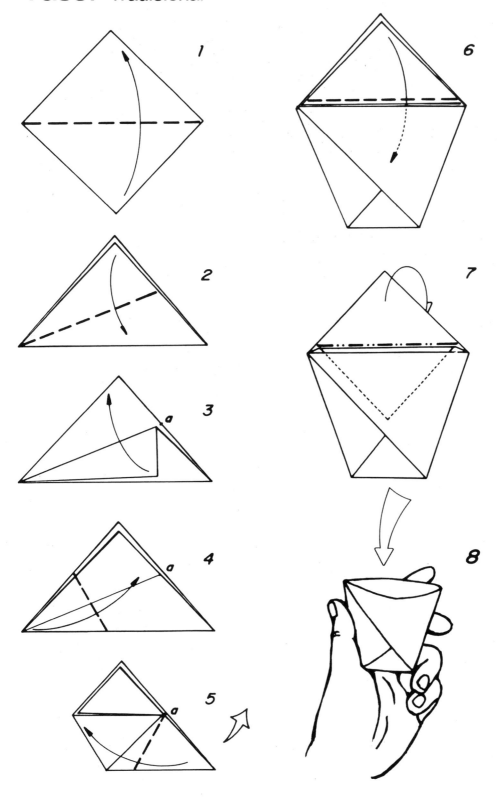

Recomiendo h = 12 cm.

Gorro de legionario. Tradicional

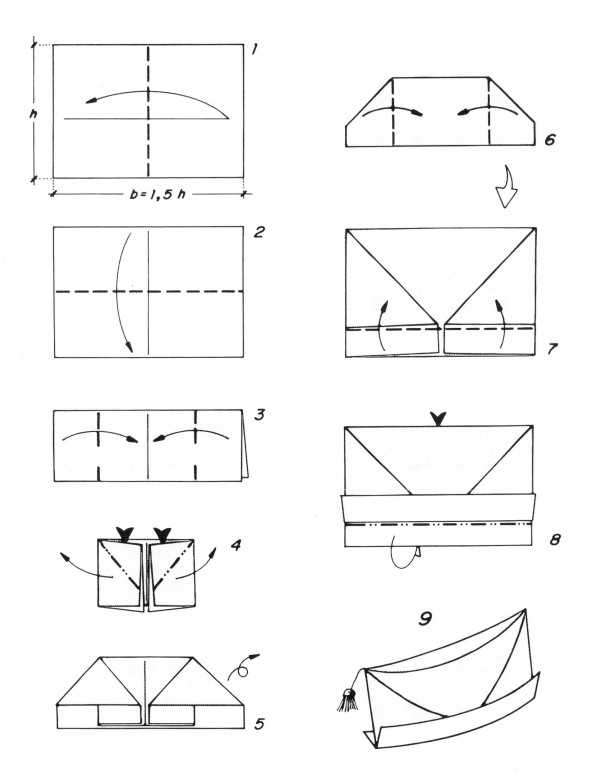

Recomiendo h = 15 cm. (cuartilla)

Gorro de enfermera. Tradicional

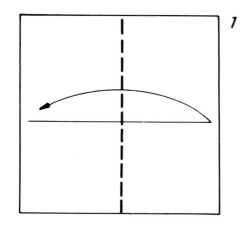

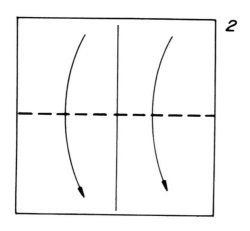

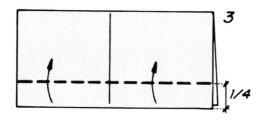

1/4

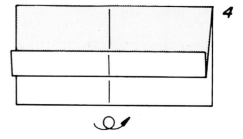

Recomiendo h = 12 cm.
Para poner en la cabeza h = 45 a 50 cm.

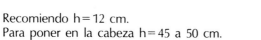

9

8

7

6

5

Gorro samurai. Tradicional japonés

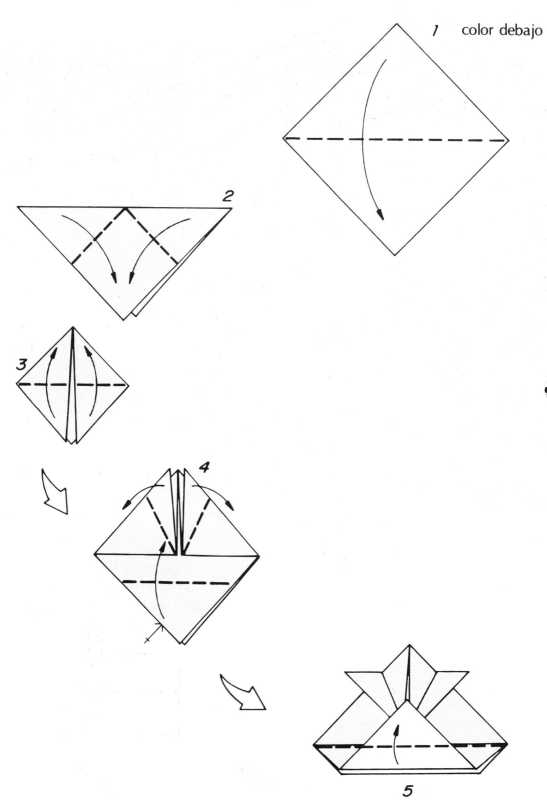

1 color debajo

2

3

4

5

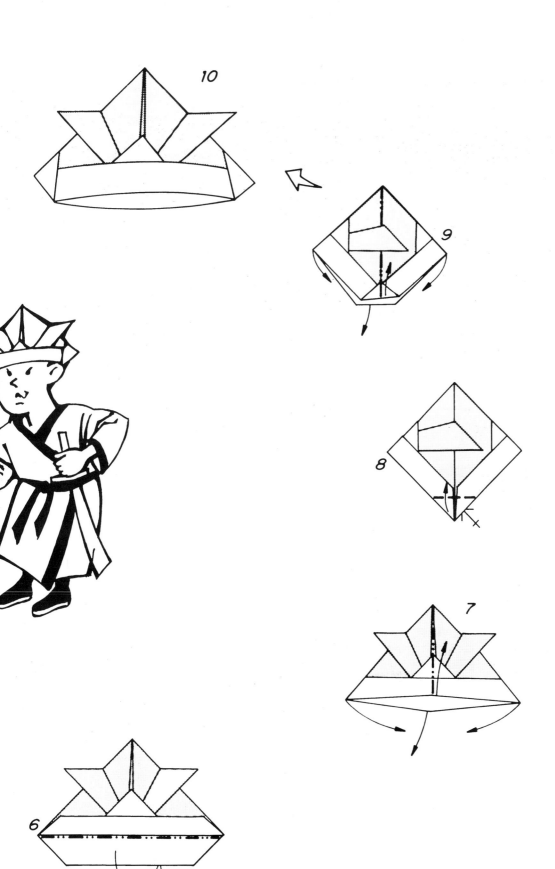

10

9

8

7

6

Pez volador. Tradicional

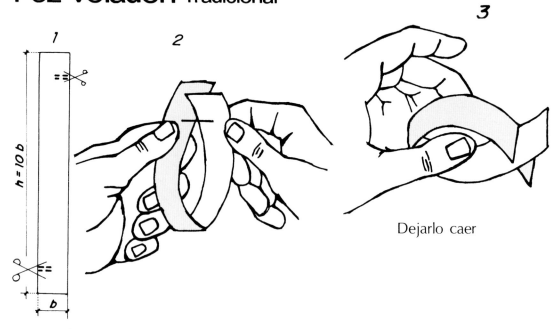

$h = 10\,b$

b

Dejarlo caer

Recomiendo h = 30 cm., b = 3 cm.

Hélice. Tradicional

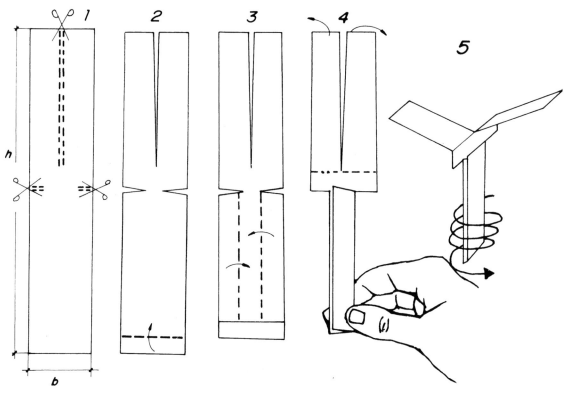

h

b

Recomiendo h = 12 cm., b = 3 cm.

Galleta sonora. Tradicional

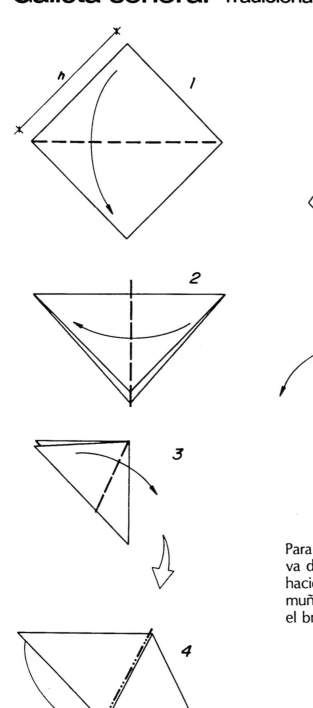

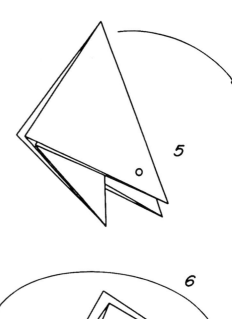

Para conseguir el efecto sonoro, se va de la posición 6 a la 7 haciendo un giro rápido de muñeca al mismo tiempo que baja el brazo.

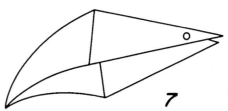

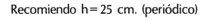

Recomiendo h = 25 cm. (periódico)

Bonete. Tradicional

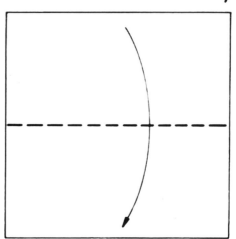

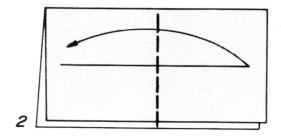

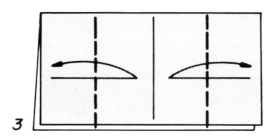

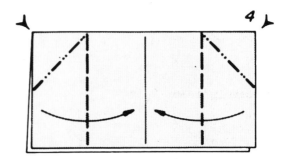

Recomiendo h = 12 cm.

5

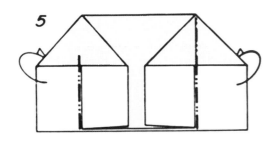

6

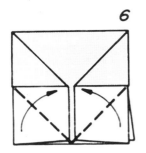

7

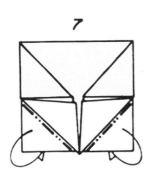

8

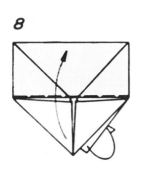

9

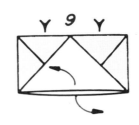

10

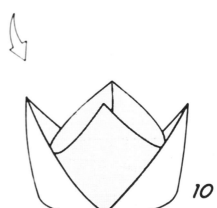

Zig-zag. Tradicional

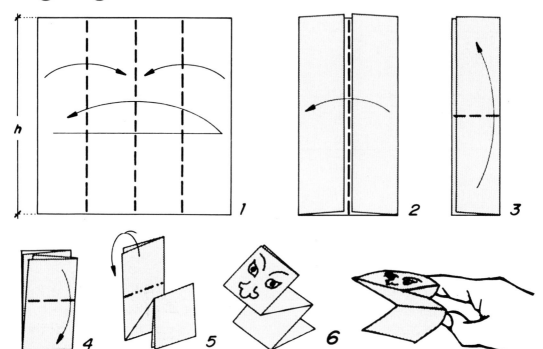

Recomiendo h = 10 cm.

Silbador. Tradicional

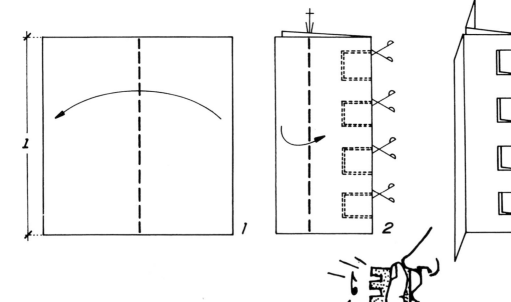

Soplando salen silbidos

Recomiendo h = 6 cm.

Sillón y silla. Tradicional

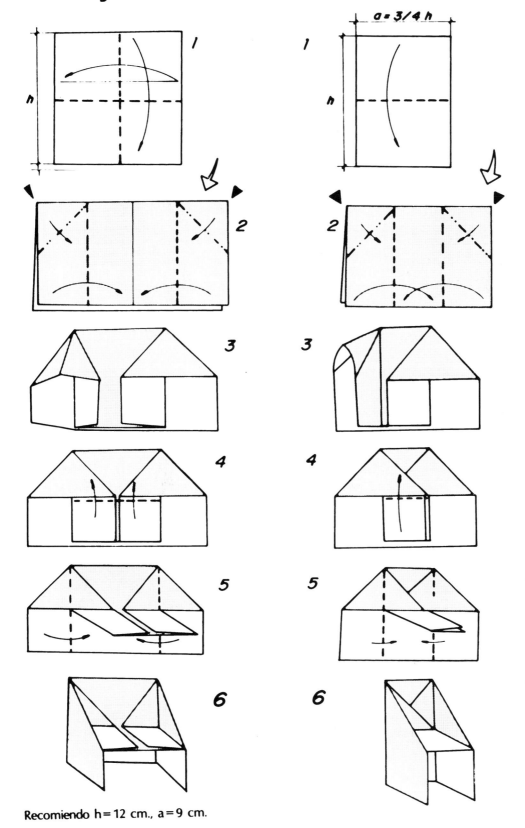

$a = 3/4 h$

Recomiendo h = 12 cm., a = 9 cm.

Gorro y barca. Tradicional

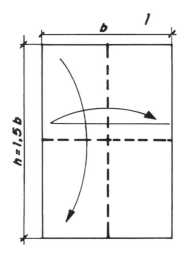

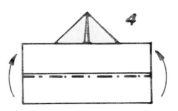

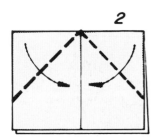

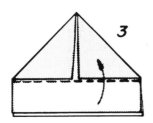

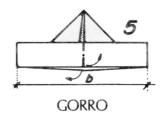

GORRO

Recomiendo h = 21 cm. (cuartilla)

5'

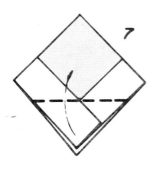

6

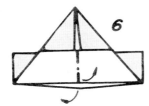

7

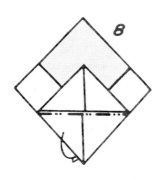

8

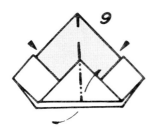

9

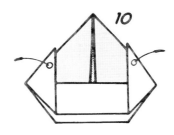

10

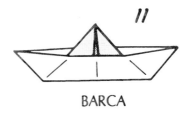

11

BARCA

NAUFRAGIO

Camiseta del capitán

Cubo volador. Tradicional

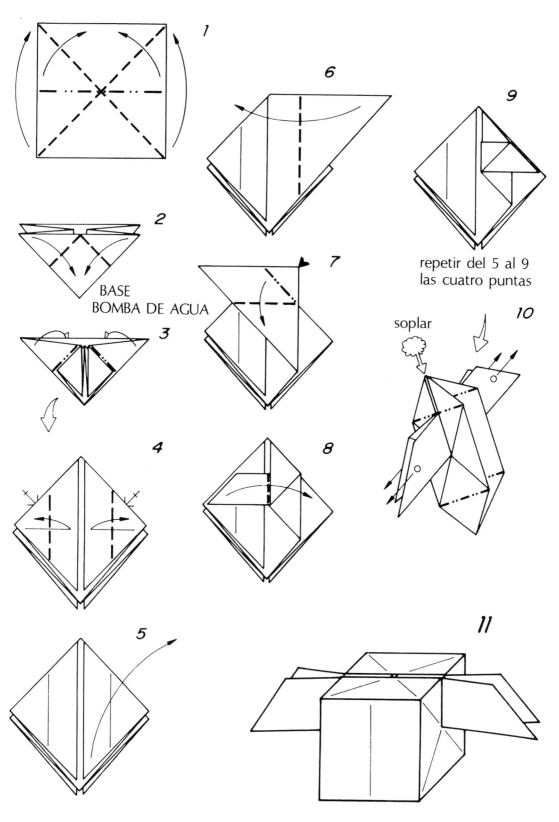

1

2

BASE
BOMBA DE AGUA

3

4

5

6

7

8

9

repetir del 5 al 9
las cuatro puntas

soplar

10

11

Tanque. Tradicional

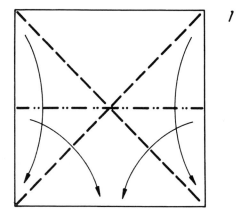

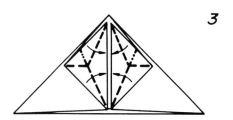

BASE BOMBA DE AGUA

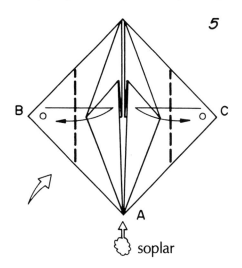

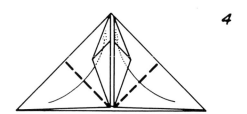

soplar por A sujetando por B y C

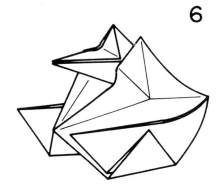

soplar

acortamiento del cañón

Plegado multiforme

Este plegado multiforme da lugar a una serie de figuras, que por su sencillez, merece la pena poner en esta INICIACION A LA PAPIROFLEXIA.
En este libro indico sólo las figuras más sencillas, dejando las de mayor dificultad (barco del rey y de la reina, góndola, etc.) para otro posterior.

DESARROLLOS CON PLEGADO MULTIFORME

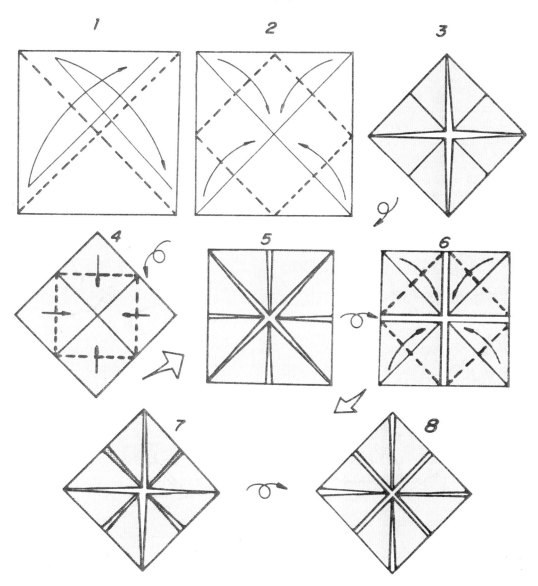

A partir de los plegados núm. 5 y núm. 8, iremos realizando una serie de figuras. Es conveniente que te hagas 5 ó 6 plegados núm. 8, para que te vayas quedando con las distintas figuras que realices.

Recomiendo papel de 21 × 21 cm.

Pintar con dos colores diferentes
las zonas A y B. (A en azul, B en
rojo, p.e.)

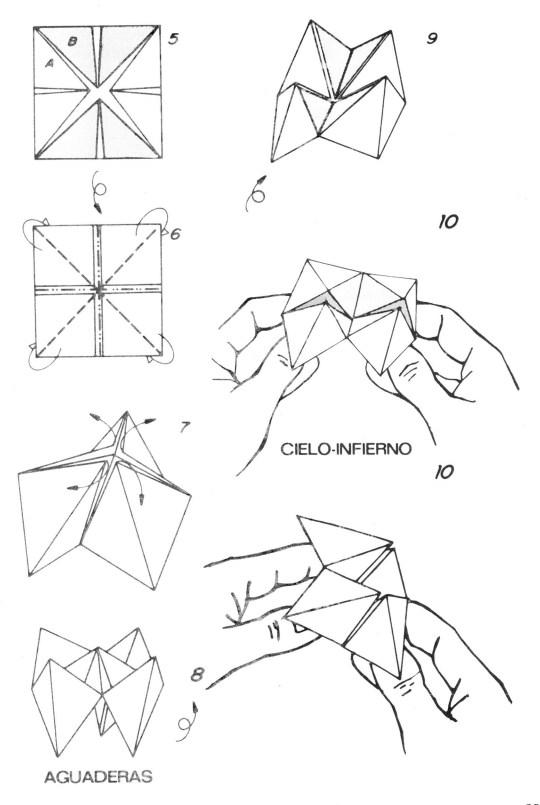

5

B

A

9

6

6

10

CIELO-INFIERNO

10

7

8

9

AGUADERAS

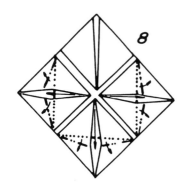

8

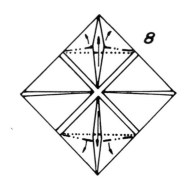

8

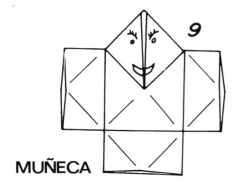

9

MUÑECA

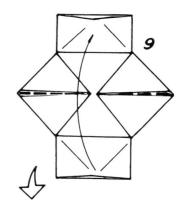

9

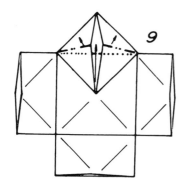

9

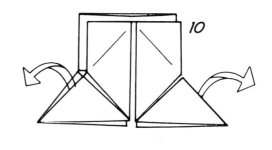

10

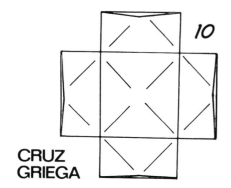

10

CRUZ
GRIEGA

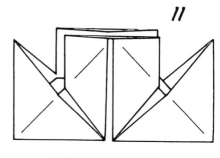

11

TORPEDERO

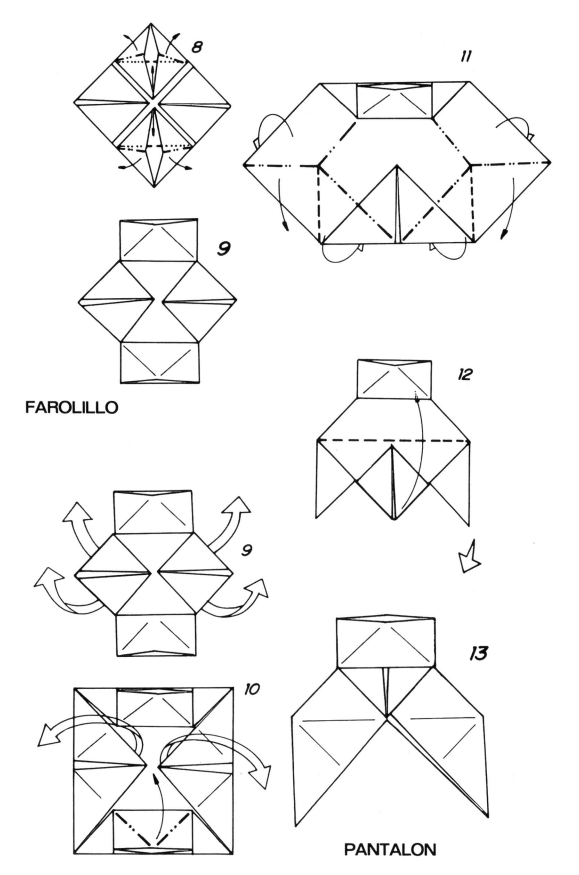

8

9

FAROLILLO

11

9

12

10

13

PANTALON

41

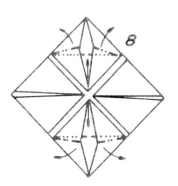

8

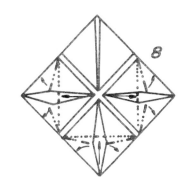

8

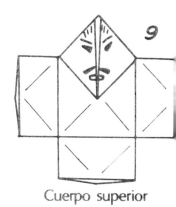

9

Cuerpo superior

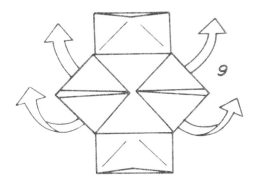

9

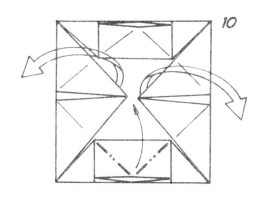

10

11

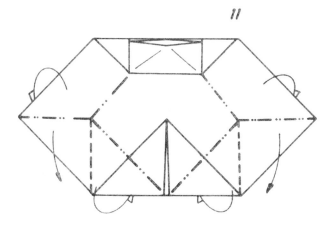

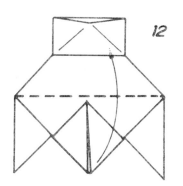

12

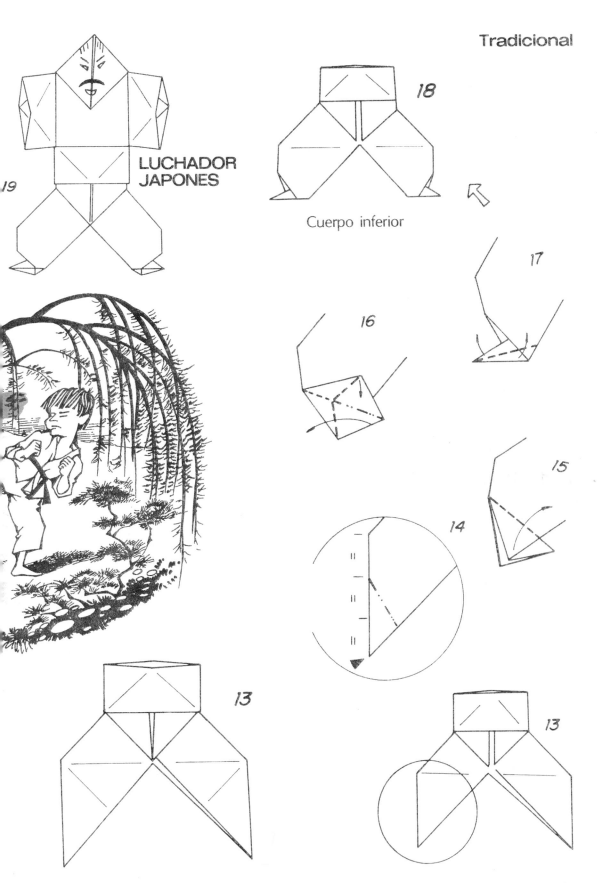

Tradicional

18

19

LUCHADOR JAPONES

Cuerpo inferior

17

16

15

14

13

13

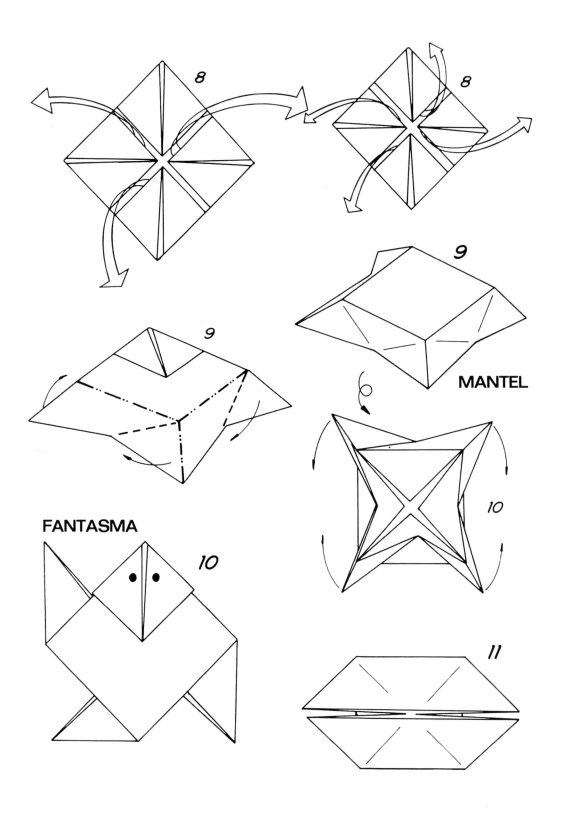

8

8

9

9

MANTEL

FANTASMA

10

10

11

El plegado núm. 11 sirve, como el núm. 8, para a partir de él, realizar una nueva serie de figuras.

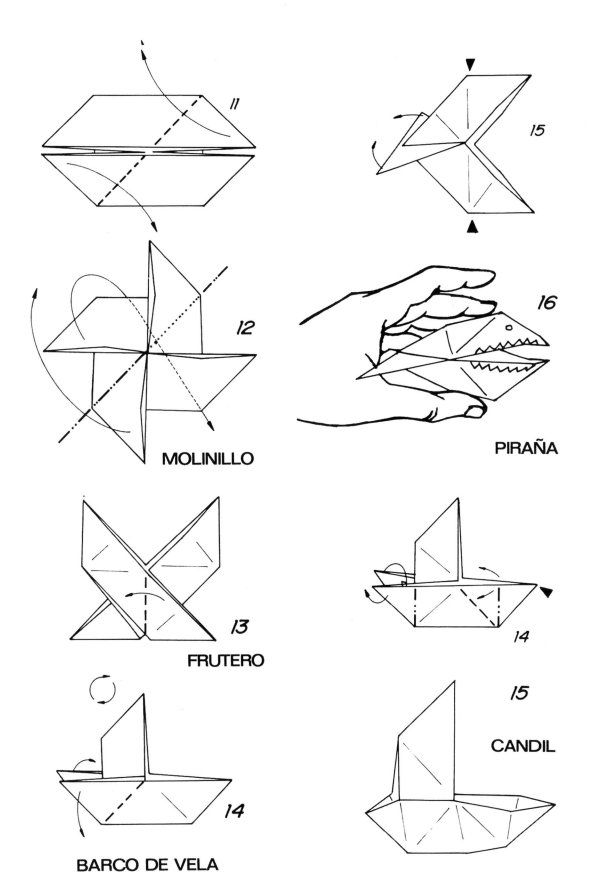

11

12

MOLINILLO

13

FRUTERO

14

BARCO DE VELA

15

16

PIRAÑA

14

15

CANDIL

45

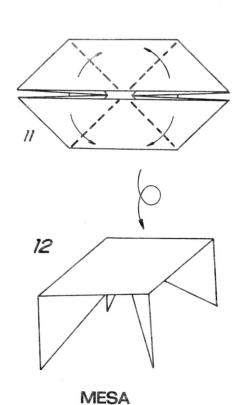

11

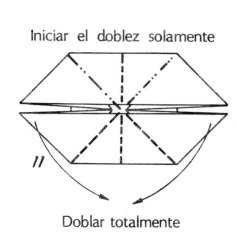

Iniciar el doblez solamente

11

Doblar totalmente

12

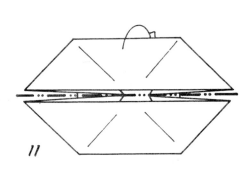

MESA

12

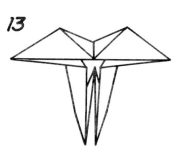

11

13

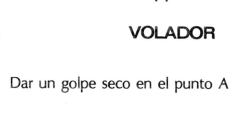

VOLADOR

12

A

Dar un golpe seco en el punto A

SALTAMONTES

46

Algunas bases

Se entiende por «base» en papiroflexia la figura resultante de una serie de dobleces y que es el punto de partida para diferentes figuras de papel.

Hay bases de tres o cuatro plegados, y hasta de 15 plegados. Entre algunos autores lo principal de sus desarrollos es una base, desde la que continuar los dobleces a realizar, y así llegar al final de la figura.

En este libro he puesto 6 bases, las más usadas, que conviene aprender, ya que, aunque en este libro de iniciación al hacer una figura se pone de nuevo el desarrollo, si ya se ha practicado resulta más fácil y más ameno el llegar al final.

DESARROLLO DE BASES

Base cometa

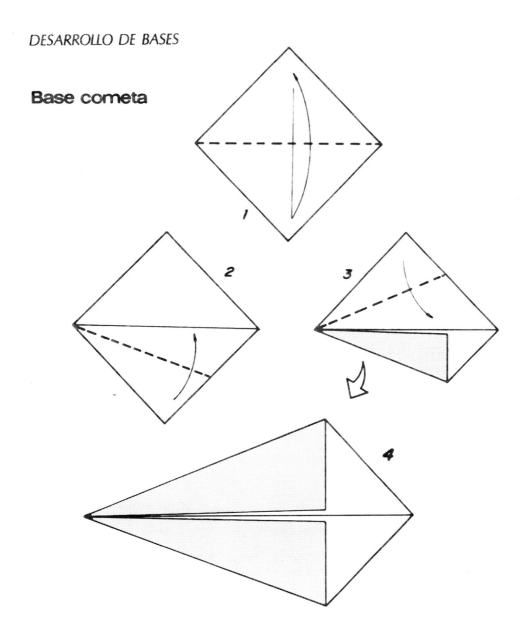

Base diamante

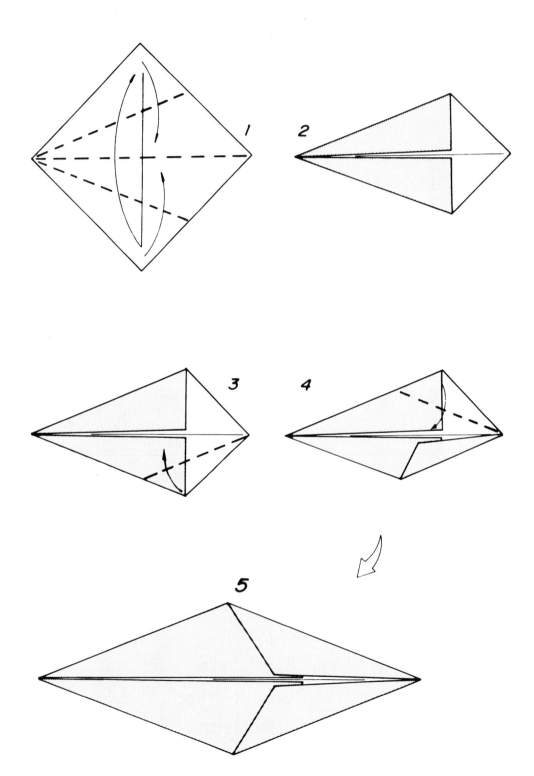

Base bomba de agua

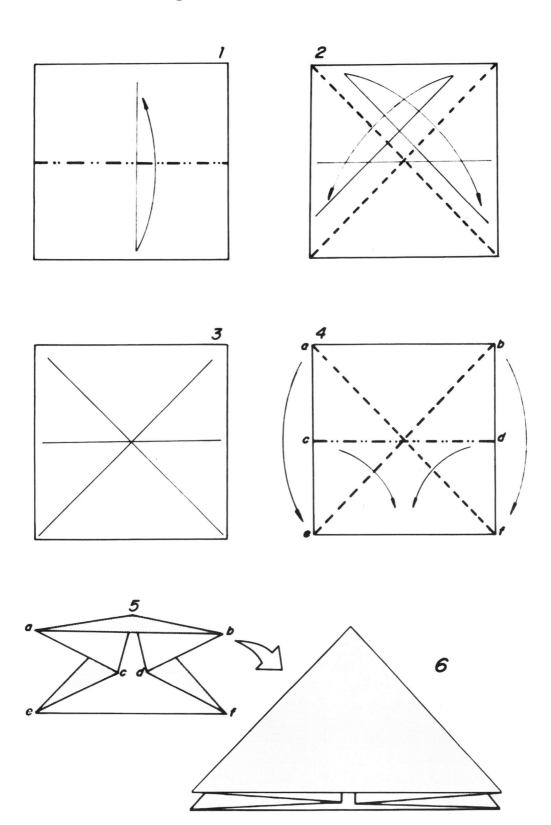

Base preliminar

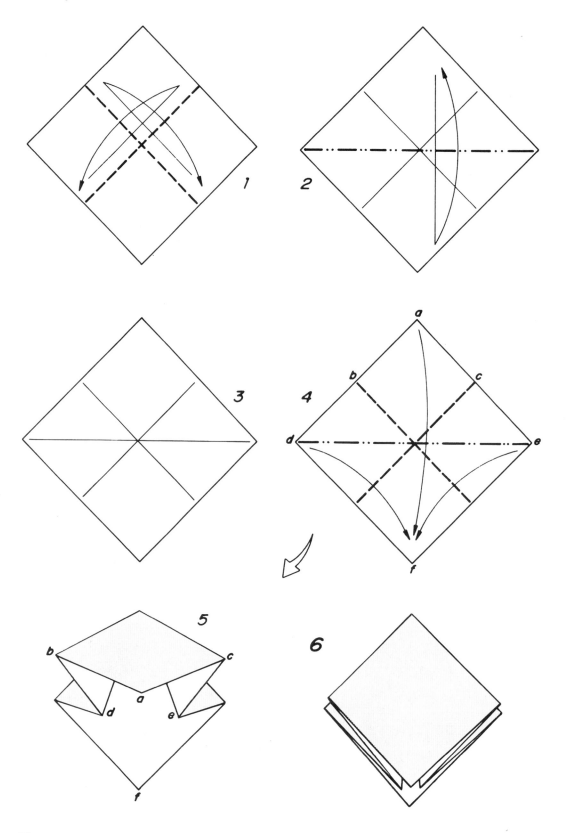

Base pez

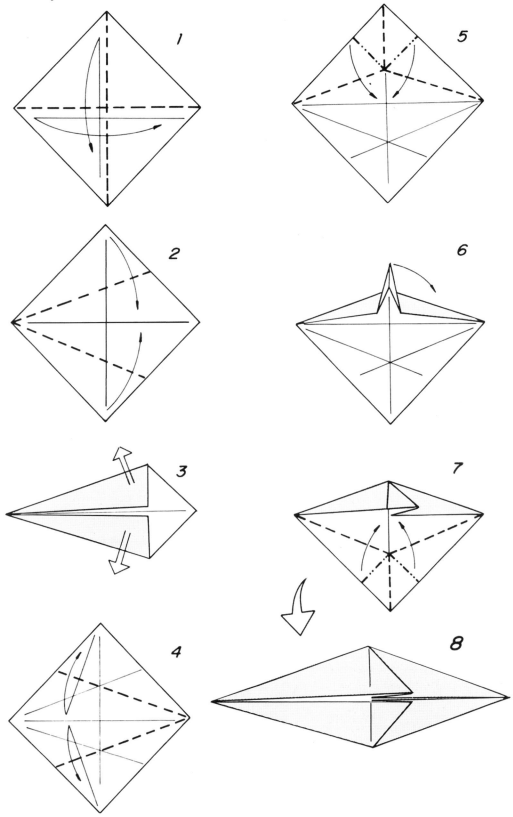

Base pájaro

Aunque en este libro no hay ningún desarrollo en que podamos utilizar esta base, he creído oportuno su exposición, debido al gran número de figuras que parten de ella, como introducción a una papiroflexia más avanzada en la que se presupone el conocimiento de esta base.

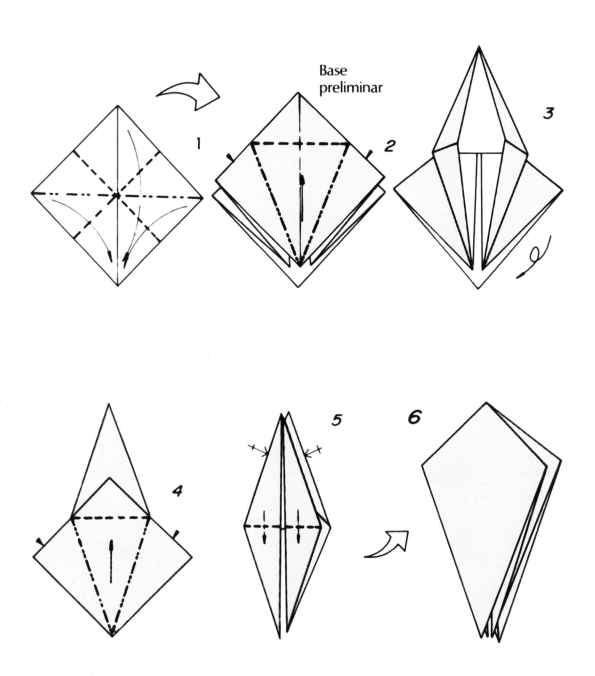

Base preliminar

Algunos dobleces particulares.

PREPARACION

Tomas un papel cuadrado con dorso de color, lo cortas por la diagonal y tendrás dos triángulos rectángulos. Doblas el primer triángulo (A) siguiendo la línea del valle (fig. 1) en dirección a la flecha y obtendrás la figura 2.

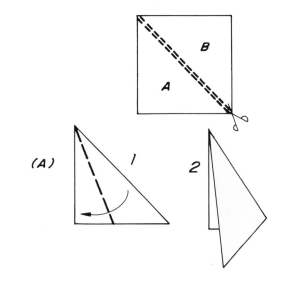

PLEGADO HUNDIDO

El plegado por las dos caras es montaña.
Es conveniente plegar todo en montaña y en valle como indican las figuras 2 y 3, facilitando así el plegado que indica la fig. 4, obteniendo el pico de la figura 5.

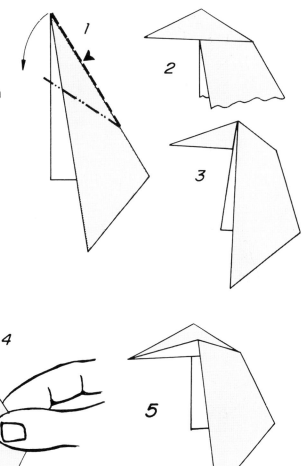

Doblas ahora el segundo triángulo
(B) siguiendo la línea del valle
(figura 1) en dirección a la flecha y
obtendrás la figura 2.

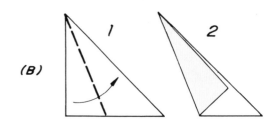

PLEGADO ENVOLVENTE

Igual que el anterior, se dobla en
valle y montaña por ambos lados
tal y como indica la figura 2 y 3.
Después se abre según las líneas y
flechas de la figura 1 y colocando
los dedos como indica la figura 4
obtendremos el pico de la figura 5.

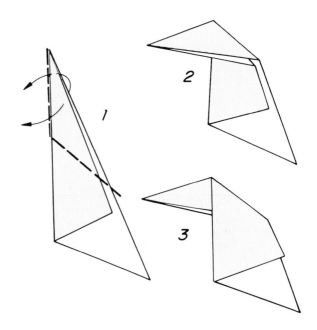

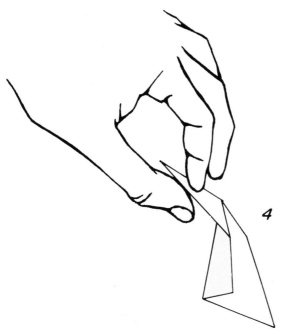

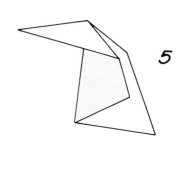

Pajarito por Isao-Jonda

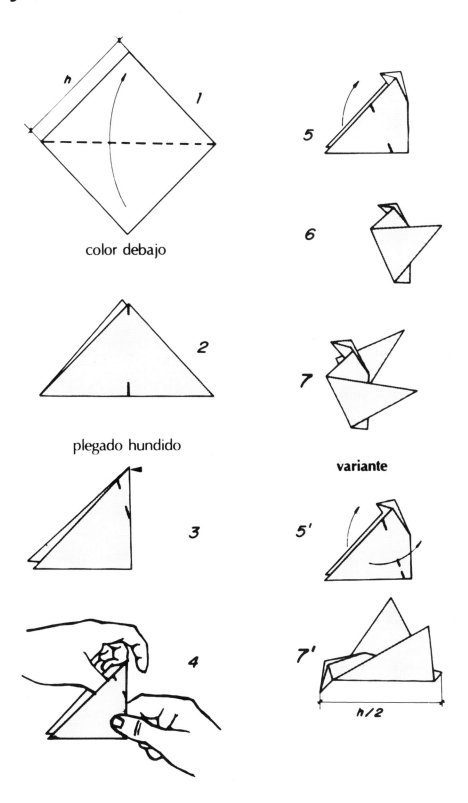

1

h

color debajo

2

plegado hundido

3

4

5

6

7

variante

5'

7'

h/2

Recomiendo h = 12 cm.

Paloma (I) por Isao-Jonda

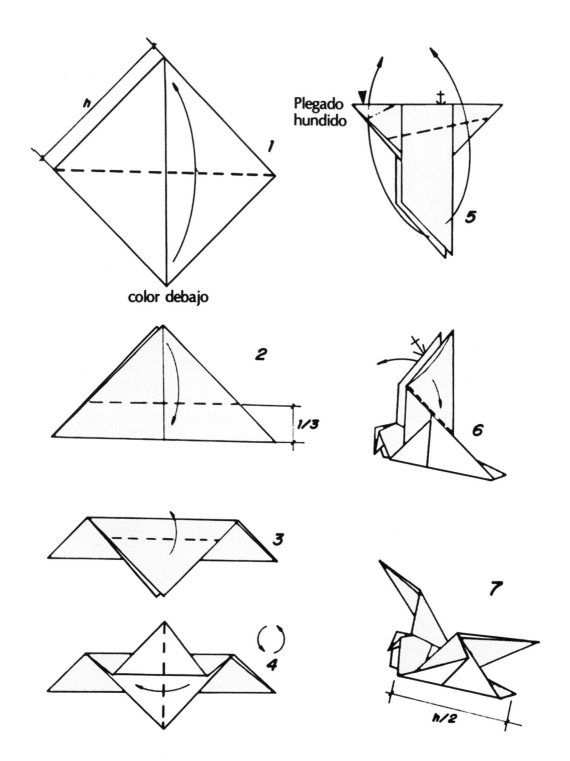

color debajo

Plegado hundido

1/3

Recomiendo h = 12 cm.

Avión (I). Tradicional

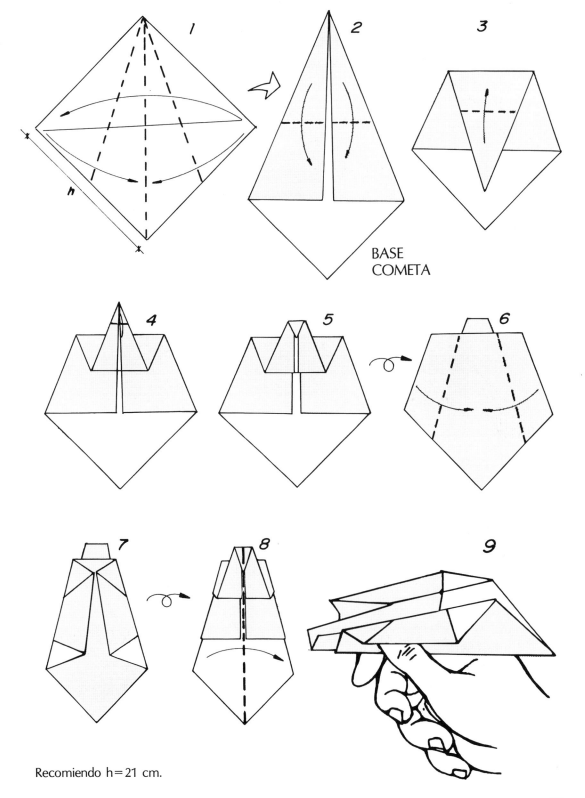

1

2

3

BASE
COMETA

4

5

6

7

8

9

Recomiendo h = 21 cm.

Ballena por Carlos Pomaron

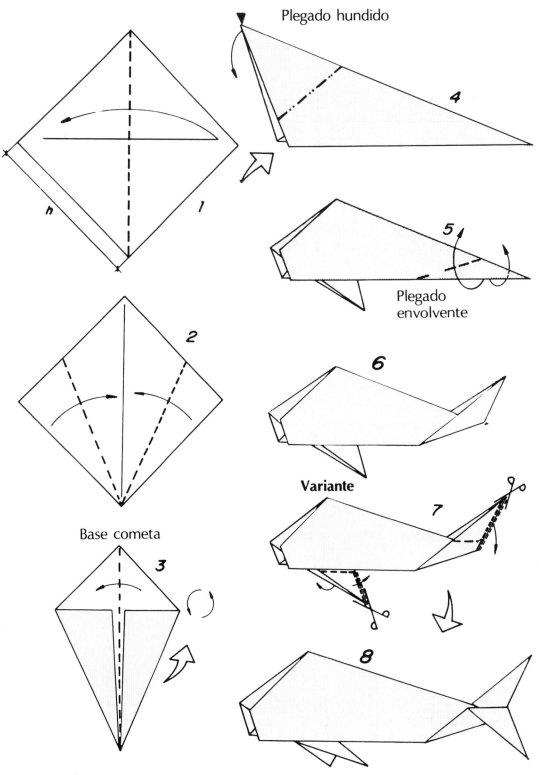

Plegado hundido

1

h

2

Base cometa

3

4

5

Plegado envolvente

6

Variante

7

8

Recomiendo h = 12 cm.

Avión (II). Tradicional

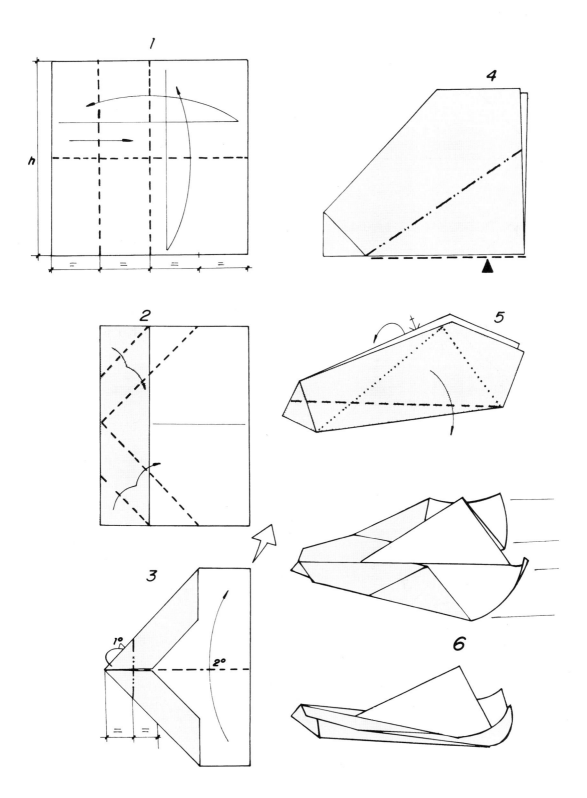

Recomiendo h=12 cm.

Reactor por Isao-Jonda

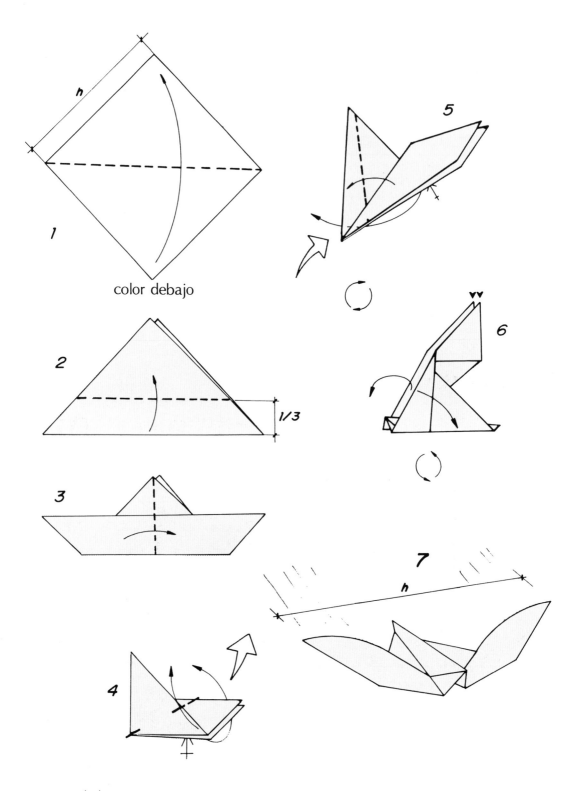

color debajo

1/3

Recomiendo h = 12 cm.

Espiral. Tradicional

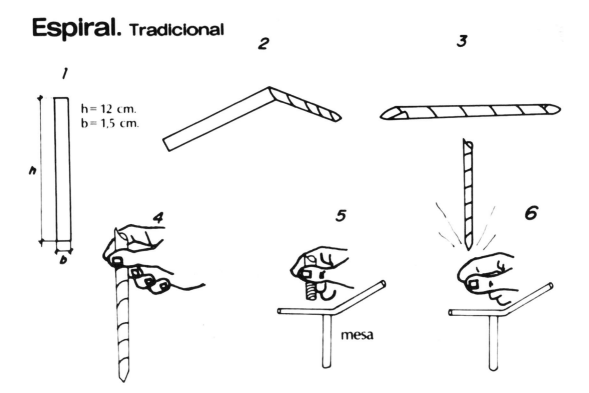

1

h = 12 cm.
b = 1,5 cm.

h

b

2

3

4

5

mesa

6

Restallador. Tradicional

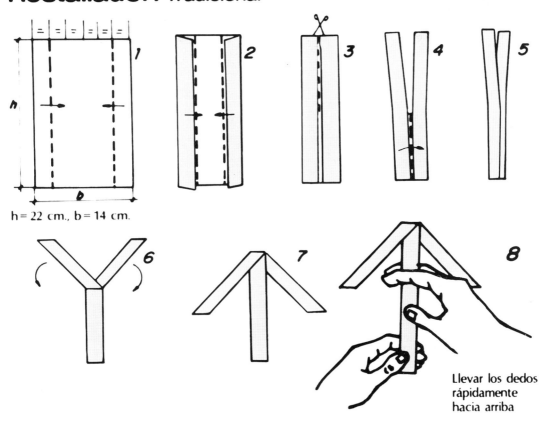

1

h

b

h = 22 cm., b = 14 cm.

2

3

4

5

6

7

8

Llevar los dedos
rápidamente
hacia arriba

Planeador por Julián González

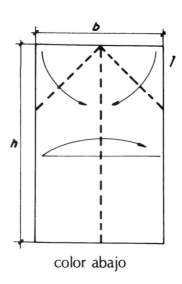

b

h

color abajo

9

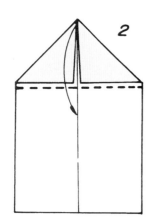

2

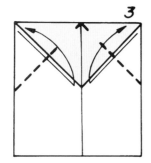

3

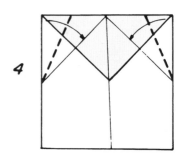

4

NOTA: Para más o menos planeo,
variar b entre 16 y 20 cm.
Recomiendo h= 30 cm, b= 20 cm.

8

7

6

5

Cubo o bomba de agua. Tradicional

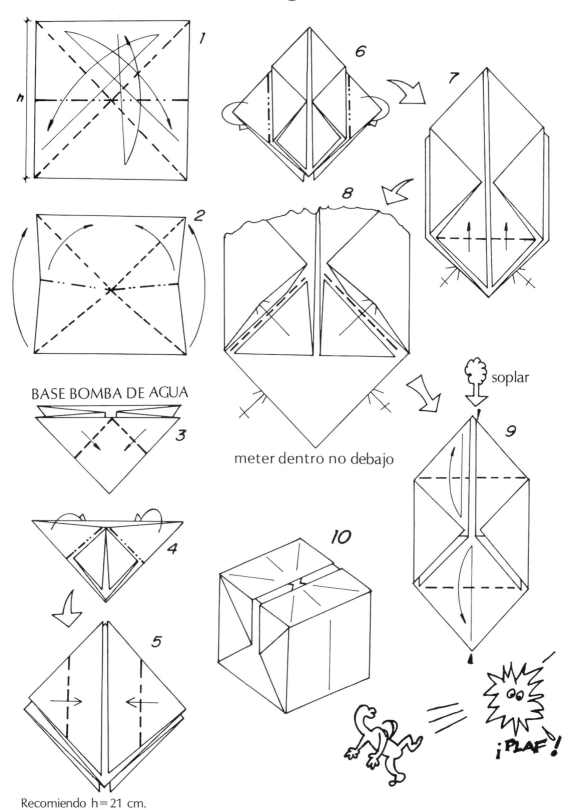

BASE BOMBA DE AGUA

meter dentro no debajo

soplar

¡PLAF!

Recomiendo h = 21 cm.

Pez Tradicional

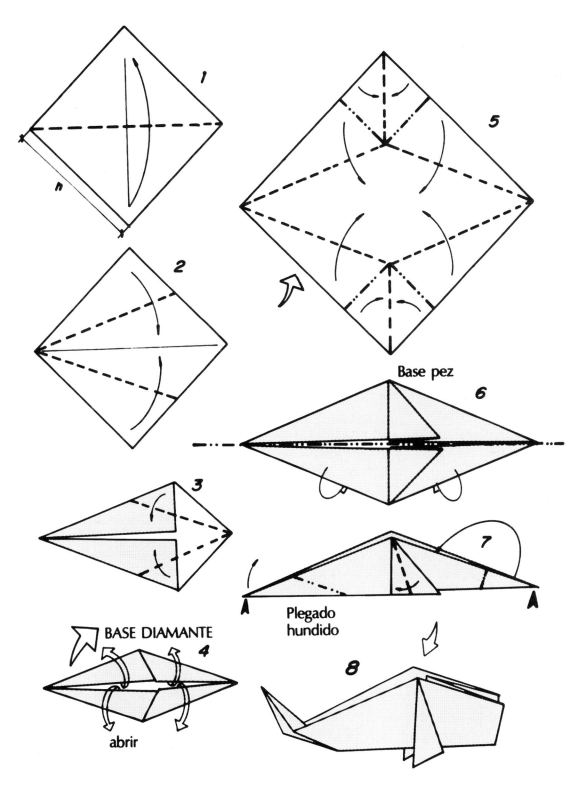

1

h

2

5

3

Base pez

6

BASE DIAMANTE

4

abrir

7

Plegado
hundido

8

Recomiendo h = 12 cm.

Petardo. Tradicional

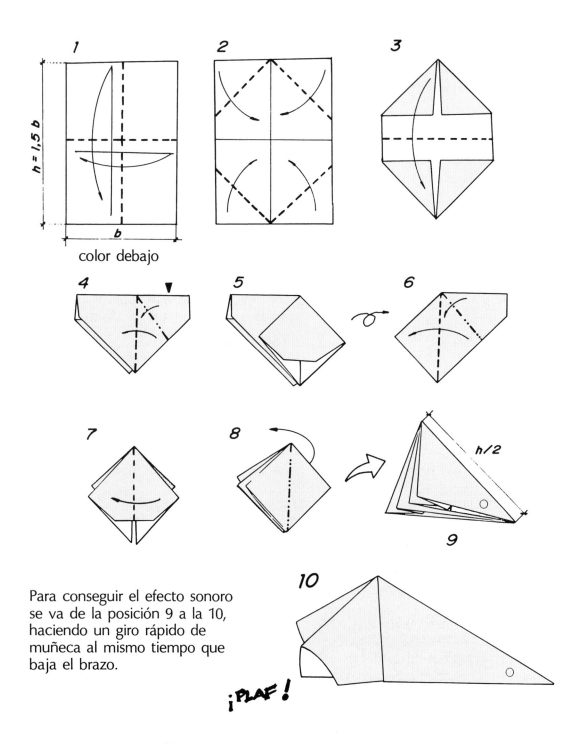

color debajo

Para conseguir el efecto sonoro se va de la posición 9 a la 10, haciendo un giro rápido de muñeca al mismo tiempo que baja el brazo.

¡PLAF!

Recomiendo h = 30 cm. (folio)

Cinta mágica. Cinta de Moebius

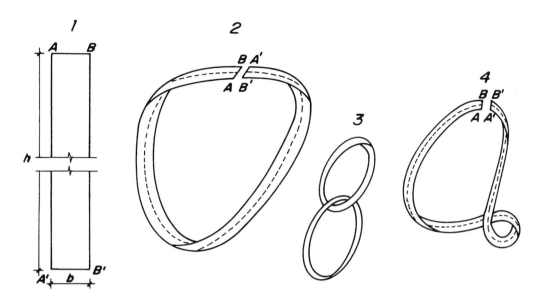

1) Une los extremos de la cinta de papel (figura 1), pero si normalmente unirías A con A' y B con B' para hacer un aro, ahora das la vuelta al papel y unes A con B' y B con A' (figura 2) pegándolo a todo lo largo de A B en 1/2 cm de solapa aproximadamente.

2) Una vez preparado empiezas a cortar, delante de un amigo, por la línea de puntos y le preguntas. Cuando termine de cortar todo el aro, ¿qué me quedará? Te dirá ¡DOS AROS!
Terminas de cortar, se lo das y le dices, pues no, como ves queda uno solo y grande. ¡Gran sorpresa!

3) Le pides el aro grande y vuelves a cortar por el centro igual que antes y le preguntas: ¿Qué me va a quedar ahora?
Te dirá después del fracaso anterior ¡OTRO MAYOR!
Terminas de cortar y dices: Pues no, quedan DOS y entrelazados, con gran sorpresa del amigo (figura 3).
Si te dijese ¡Ahora sí salen DOS AROS!, entonces tú terminas de cortar y sin separarlos le dices: Dame uno de los aros, y con sorpresa tu amigo ve que no te lo puede dar, pues están entrelazados.

4) Si al primer corte quieres que te salgan dos aros entrelazados basta con, al poner A y B enfrente de A' B', dar una vuelta completa a uno de los extremos quedando la cinta hecha un tirabuzón en la parte inferior y enfrentando de nuevo A con A' y B con B' pegándolo como en el caso anterior (figura 4) lo tienes preparado y puedes volver a sorprender al amigo.

Recomiendo h=100 cm. o más. b=5 cm.

Bocazas. Tradicional

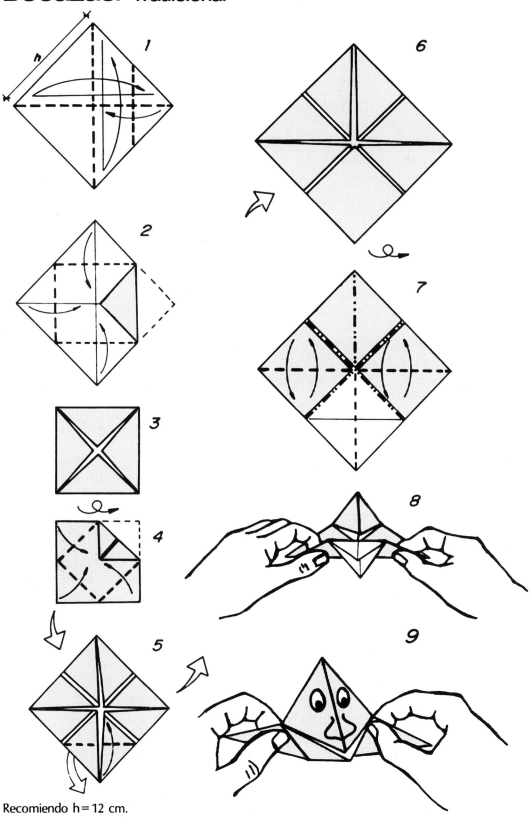

Recomiendo h=12 cm.

68

Rana saltarina. Tradicional

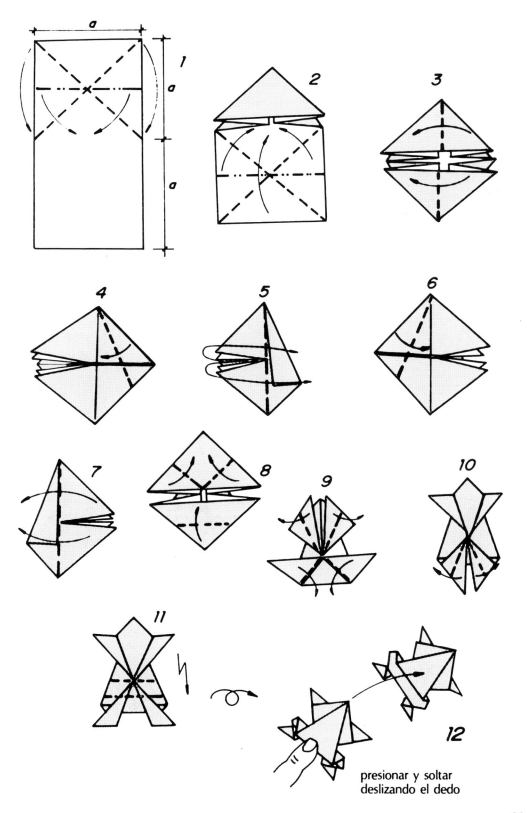

presionar y soltar
deslizando el dedo

Paloma (II). Tradicional

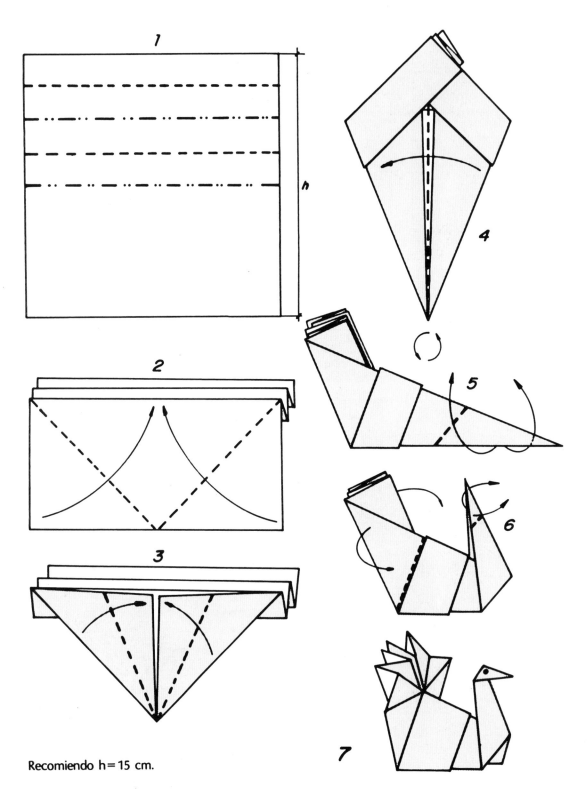

1

2

3

4

5

6

7

Recomiendo h = 15 cm.

70

Pájaro aleteador por Paul Jackson

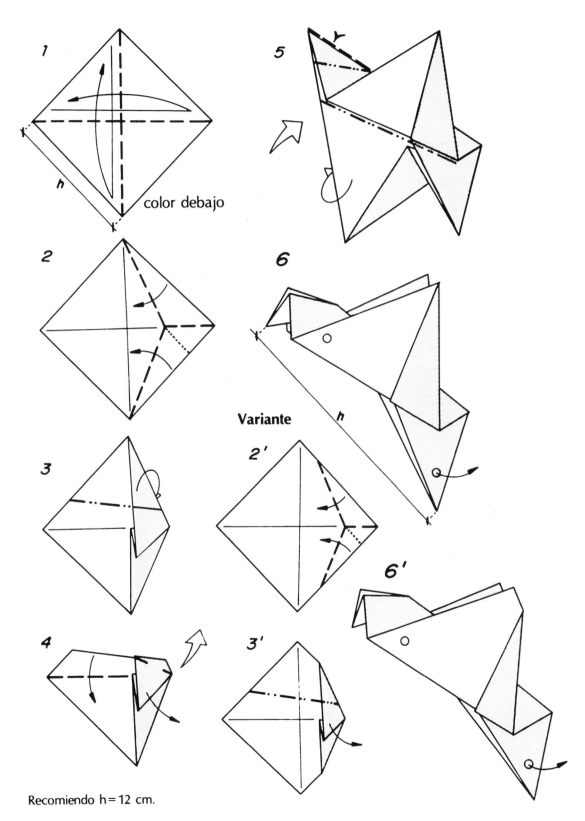

1

h

color debajo

2

3

4

5

6

Variante

2'

3'

6'

h

Recomiendo h = 12 cm.

Babuchas por Juan Gimeno

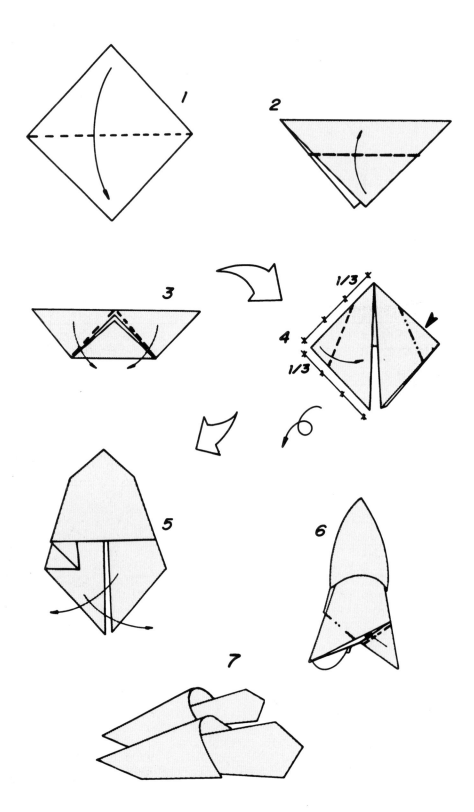

Pajarita. Tradicional en Occidente y su figura más popular y representativa.

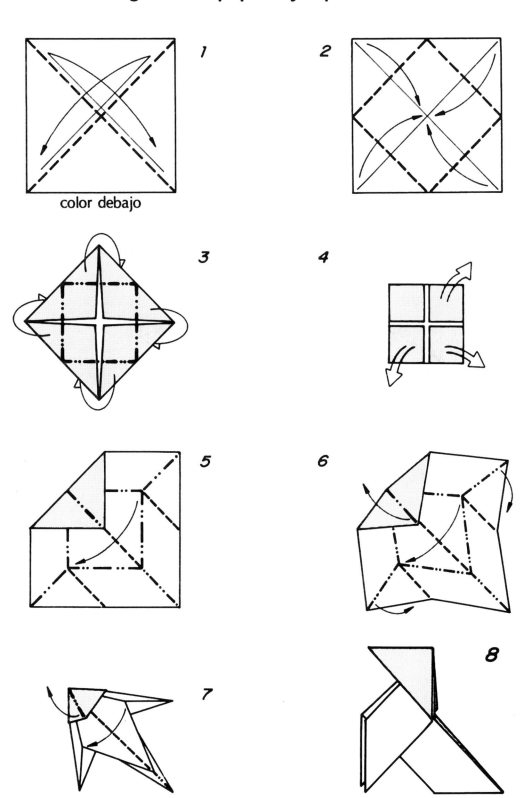

color debajo

Perro ladrador por Paul Jackson

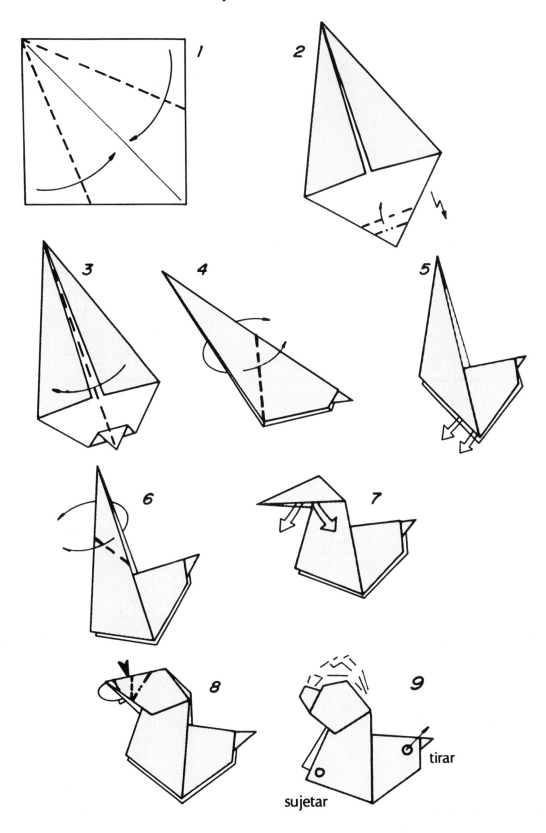

tirar

sujetar

Monja por M. del Castillo

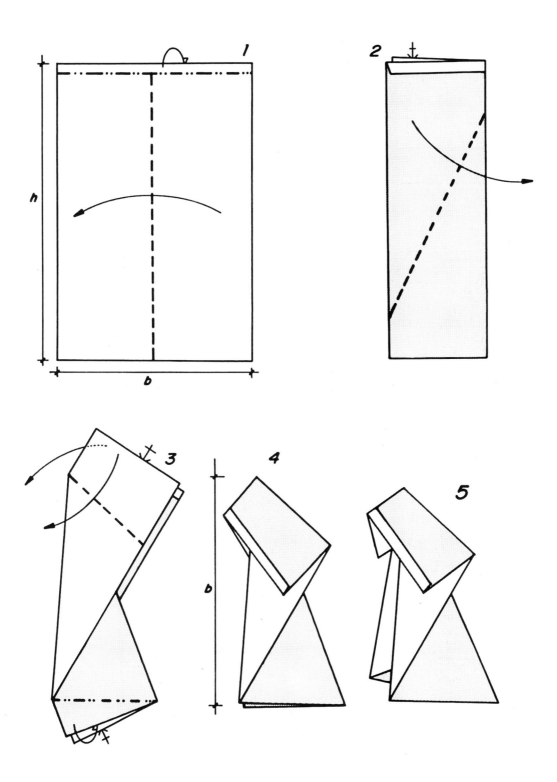

Recomiendo h = 12 cm.

Cabeza de zorro por Isao-Jonda

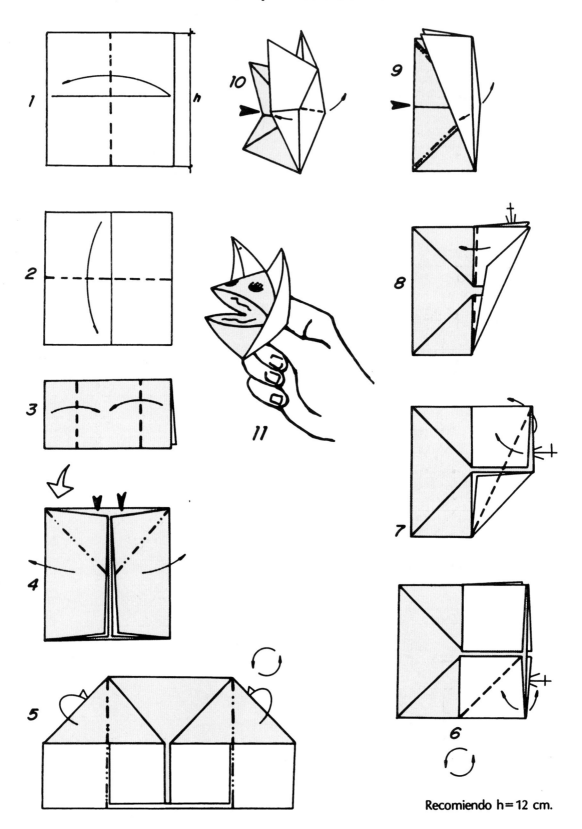

Recomiendo h = 12 cm.

Nariz y bigote por Gabriel Alvarez

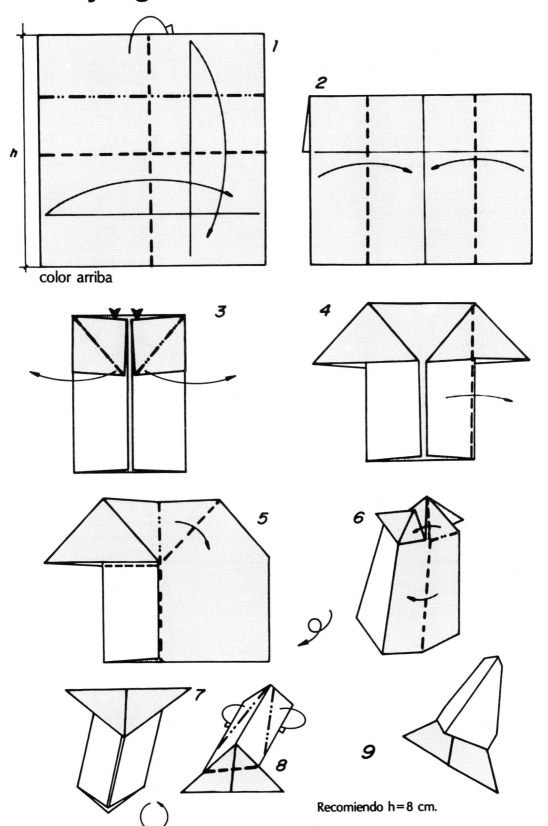

color arriba

Recomiendo h=8 cm.

Patito

por Lorenzo Herrero

9

8

7

6

5

Botas

por Lorenzo Herrero

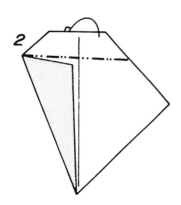

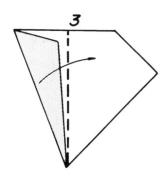

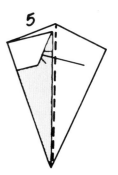

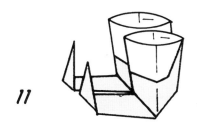

11

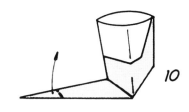

10

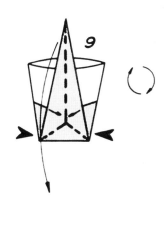

9

6

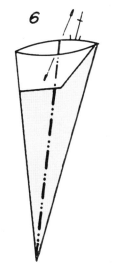

7

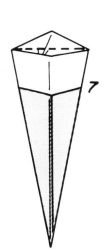

8

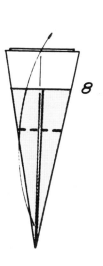

Avión (III) por Luis Fernández

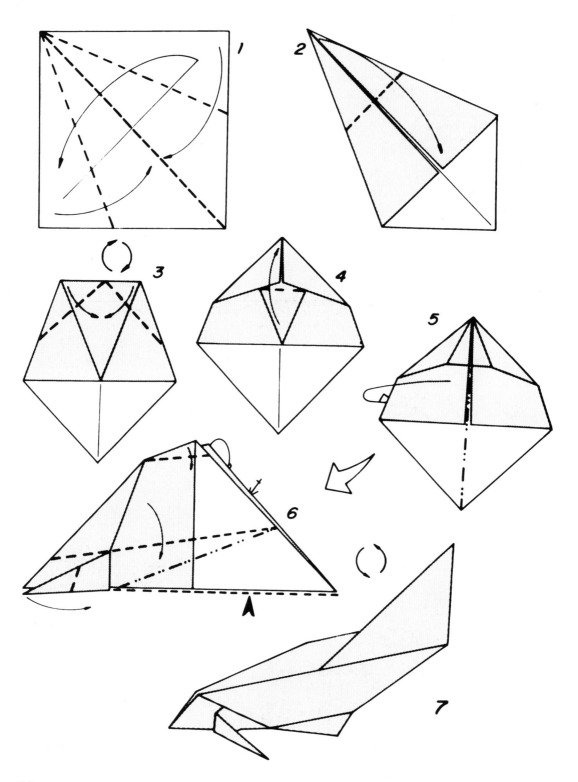

Pollito por Luis Fernández

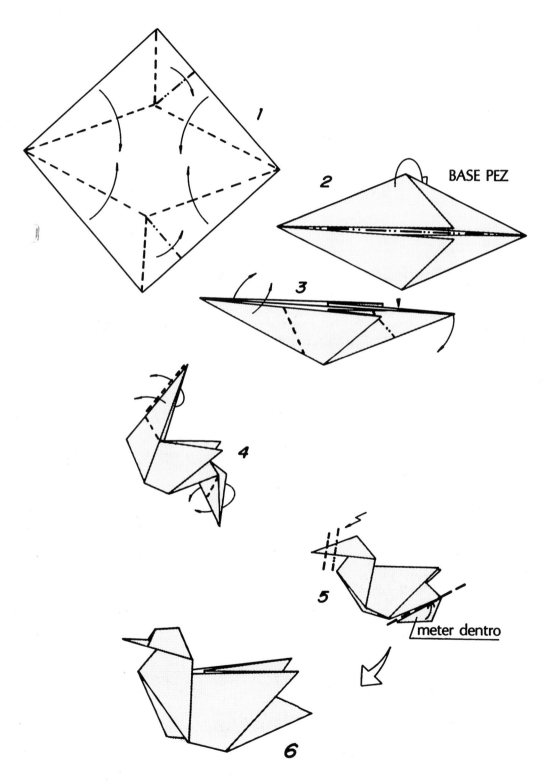

1

2 BASE PEZ

3

4

5

meter dentro

6

Pipa por Lorenzo Herrero

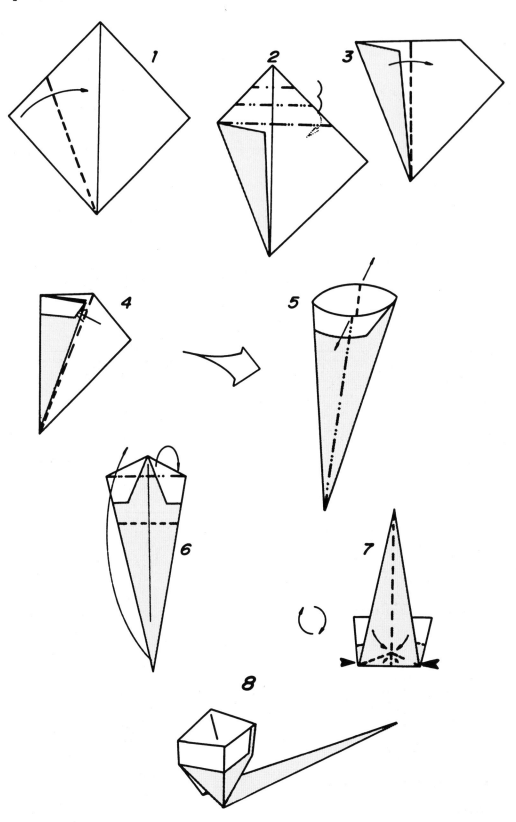

Mariposa aleteadora Tradicional

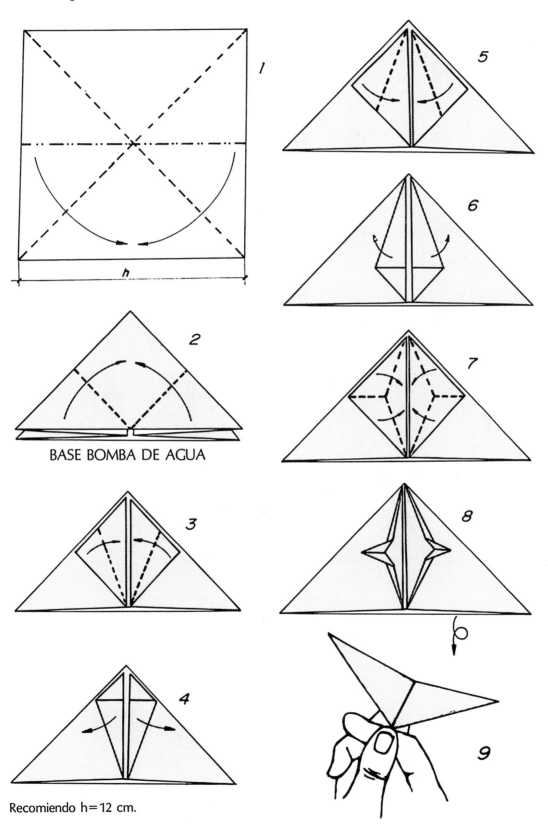

1

h

2

BASE BOMBA DE AGUA

3

4

Recomiendo h=12 cm.

5

6

7

8

9

Pingüino por Luis Fernández

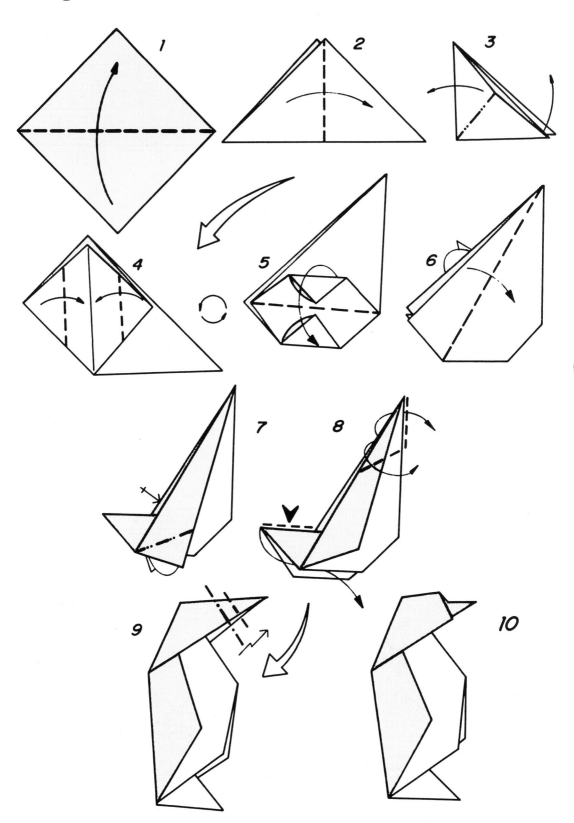

Morsa por Sergio González

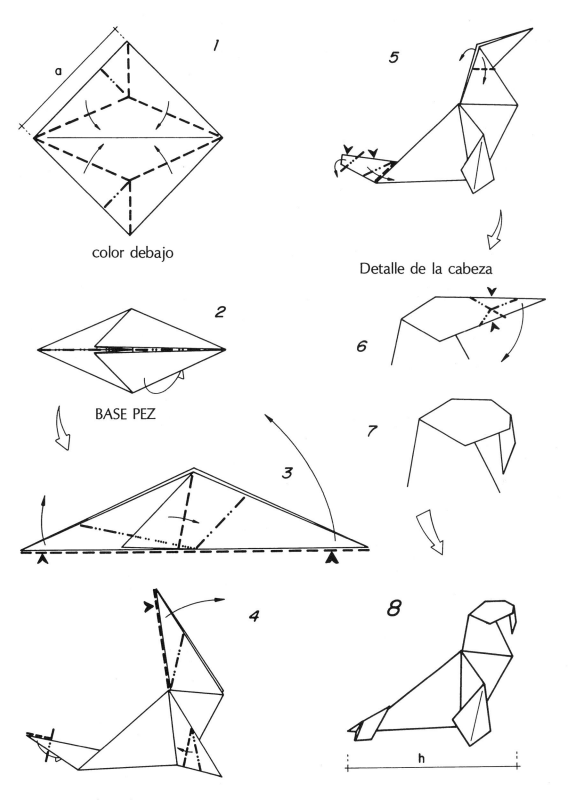

1

a

color debajo

2

BASE PEZ

3

4

proporción: h = 4/5 a

5

Detalle de la cabeza

6

7

8

h

Mosca por Angel Ecija

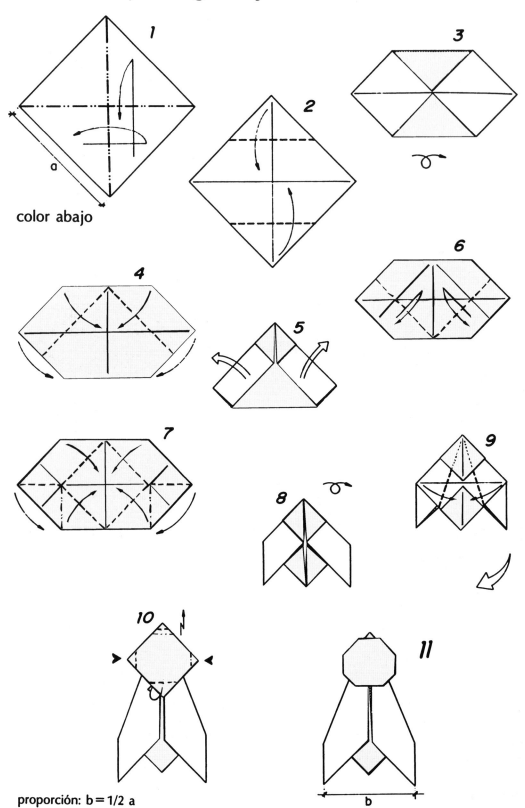

color abajo

proporción: b = 1/2 a

Perro boxer (cabeza) por Félix Gimeno

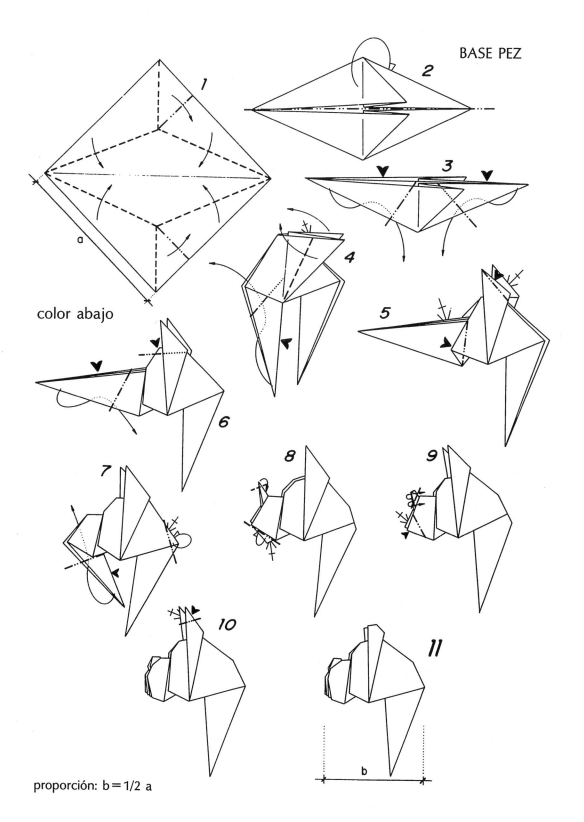

BASE PEZ

color abajo

proporción: b = 1/2 a

Planeadora   por Sergio González

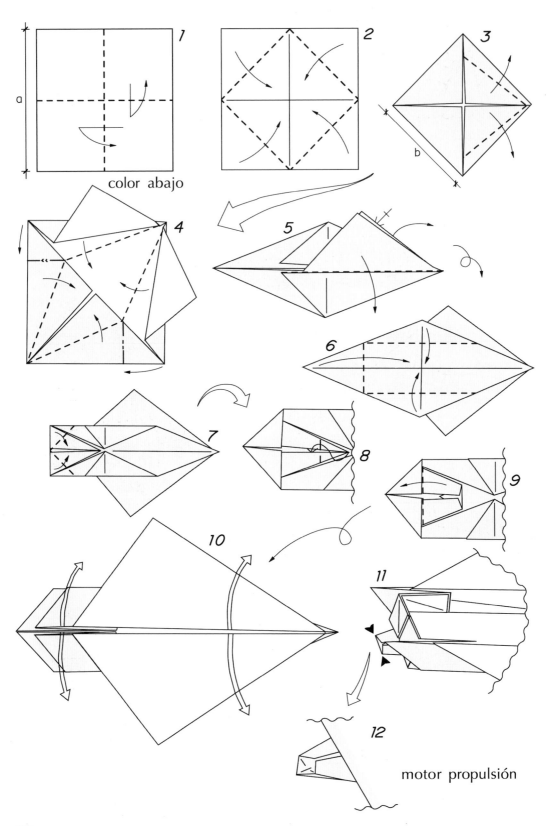

color abajo

motor propulsión

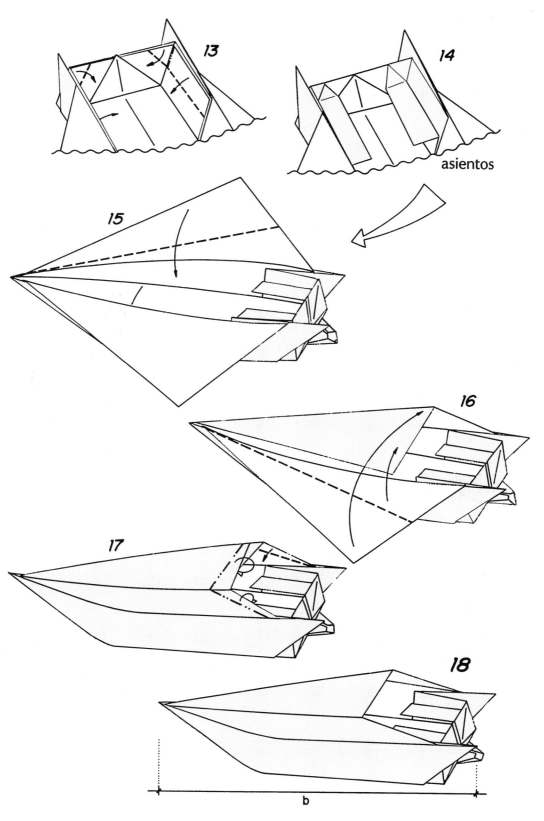

13

14

asientos

15

16

17

18

b

proporción: b = 2/3 a

Epílogo

Se ha llegado al final del libro habiendo tenido, posiblemente, alguna pequeña dificultad en las últimas figuras; seguro que se han salvado con éxito.

Estamos ya en disposición de adquirir libros más avanzados y desarrollos más difíciles de realizar, pero que con lo aprendido en este libro no será complicado llevar a buen fin.

Animo, pues, y a continuar este bello arte de la Papiroflexia consiguiendo algunas figuras como los modelos que a continuación se exponen.

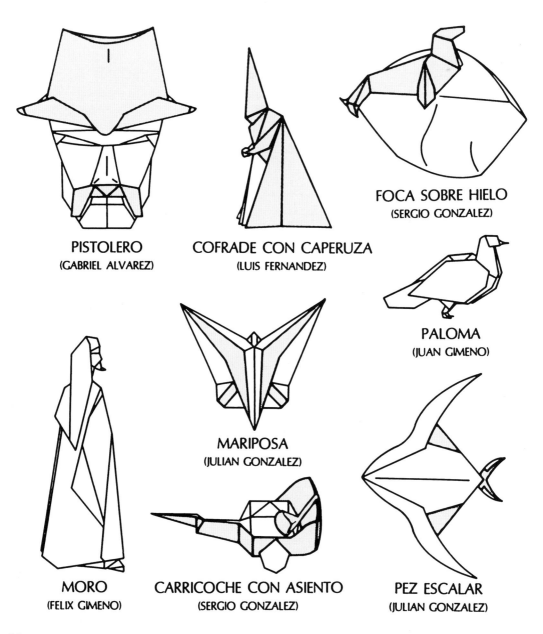

FOCA SOBRE HIELO
(SERGIO GONZALEZ)

PISTOLERO
(GABRIEL ALVAREZ)

COFRADE CON CAPERUZA
(LUIS FERNANDEZ)

PALOMA
(JUAN GIMENO)

MARIPOSA
(JULIAN GONZALEZ)

MORO
(FELIX GIMENO)

CARRICOCHE CON ASIENTO
(SERGIO GONZALEZ)

PEZ ESCALAR
(JULIAN GONZALEZ)